理科系の世界史・日本史

多極化する世界の基礎知識

下村史雄

元就出版社

はじめに

理科系諸君と歴史の学び

現代の科学技術は我々に豊かな生活をもたらし､社会を変革し､そして世界のグローバル化を牽引してきたが、一方で、地球環境、経済競争と格差、軍事拡大など様々な危機を生み出す大きな要因ともなってきた。科学技術には何よりバランスのとれた発展が必要であり､科学技術者自らが先頭に立ち､歴史に学んでプラスとマイナスの影響を読み取り、今後の研究開発の方向性を探らねばならない。今や、理学、工学、農学そして医学などに関わる理科系の大学生や社会人にとって歴史の学びは必須といえよう。

21世紀にはいり世界は新たな時代をむかえている。中国やインドなどが急速に成長し、米ソの力は相対的に低下し、イスラーム諸国も宗教を前面に出すなど、世界の各国が栄光の歴史を掲げて自己主張する「多極化する世界」が姿を現した。さらにアジア地域の経済力が一段と高まり､大航海時代以降約500年にわたった欧米主導による世界の形成がいよいよ転換期を迎えたことも明らかになった。こうしたなか、各国が主張する歴史は、その地の自然や生業、育まれた宗教、政治や経済の制度、さらに周辺の民族や国家との関わりのなかでさまざまに語られてきた伝統そのものであり、相互の理解を深めるためには、多極化する世界を念頭におく新たな歴史の学びが不可欠になっている。

以上から、本書は歴史の学びが疎かになりがちな理科系の諸君に向けた新たな世界史や日本史の学びとして、執筆方針を以下の三点においた。

第一は世界の各地で歴史がさまざまに語られるなか、各地の歴史と比較できるよう、我々の歴史への取り組みを確認することである。歴史と社会との関わり、歴史をえがく方法論、歴史を学ぶ効用などの基礎事項をまとめる。

第二は多極化する世界の歴史として世界史・日本史の両者を学ぶことである。解り易さを重視し、文明の誕生から多極化する世界へ至る構図を明らかにし、そのうえで世界史・日本史の分量を絞り、その要約を学ぶ。科学技術の重要な歴史として、17世紀の科学の誕生と啓蒙思想、18世後半から今につづく産業革命・技術革新と資本主義の展開、現代の巨大化した科学技術のリスクなどをとりあげ、さらに時代を分けた軍事と戦いについても項をおこす。

第三は多極化を視点におく歴史を学ぶことである。各地でえがく歴史の違い、多極化する世界の「極」のもつ異質性についての考察、さらにテーマを絞るなどして各地の間の関連性や共通性を追求した新たな歴史研究（グローバルヒストリー）の優れた成果について概説する。

本書の構成

第Ⅰ章は我々が学ぶ歴史の基礎である。①歴史とは何か、歴史遺産の保護や教育など歴史と社会の関わり、②歴史をえがく実証重視の歴史学（実証史学）の方法と、その研究分野である文献史学、考古学、文化人類学の概略、そして③歴史を学ぶ効用について確認する。

第Ⅱ章は世界史である。①人類の登場、都市の誕生、地域世界の形成、そして地域世界が一体化して現在の地球世界に至る、この世界変遷の構図を明らかにする。変遷の基礎を「文明」におき、古代・中世・近世・近代・現代の５つの時代に区分し、それぞれの時代に形成された世界を確認する。②本構図のもと、政治・経済・社会・文化、科学や技術、軍事と戦いの歴史を要約する。

第Ⅲ章は日本史である。①日本史は日本を一国一文明とみる国家史である。その構図として大きな時代区分である原始古代・中世・近世・近代・現代の５区分を用い、縄文・弥生から江戸・明治・大正・昭和などの時代名称と対応させながら、日本の国力と形成された領域の変遷を明らかにする。②本構図のもと日本史を世界との関わりのなかでとらえ、政治・経済・社会・文化、そして時代を分けた軍事と戦いに分け要約する。

第Ⅳ章は相互理解に不可欠な多極化世界を俯瞰する歴史である。①世界の各地で歴史を如何に記してきたのか、ヨーロッパ、イスラーム諸国、中国、日本の歴史叙述の歴史の相違を確認し、各国の間でうまれる歴史認識の問題について述べる。②「極」を今につづく「現代の文明」としてとらえ、異質性の根幹をなす宗教と、伝統を育んだ中核国家の歴史について要約する。③グローバルヒストリーをとりあげ、気候変動、世界の経済システムと政治制度など世界を俯瞰するうえで重要な優れた研究成果について概説する。

最後に現在の高等学校の歴史教科書との比較しておこう。歴史の基礎（第Ⅰ章）、世界史・日本史の構図（第Ⅱ章の１、第Ⅲ章の1）、多極化する世界と歴史（第Ⅳ章）は新規の項目にしたものである。現状の歴史教科書には、世界史と日本史の要約（第Ⅱ章の２、第Ⅲ章の２）が相当し、両者を同時に学ぶことを重視し、政治・経済・社会・文化などの歴史については重点に絞りこんだ。

目　次

第Ⅰ章　歴史の基礎

1　歴史と社会との関わり

歴史とは

我々は社会のなかで物事、特に社会、国家、世界の成り立ちや変遷を重視し、それを「歴史」と呼んできた。その記述においては「物事の事情や考えなどを、順を追いながら述べること」を重視し、特に「叙述」という言葉が用いられてきた。先人による功績として、石碑や建造物そして儀式や音楽などを後世に伝え、特に優れたものを歴史の遺産として「保護」し、そして何よりも我々自身の存在を語るものとして国家の歴史を学校教育の柱に据えてきた。

歴史という言葉の始まりは、前5世紀ヘロドトスの述べたギリシャ語「ヒストリア」とされている。彼はペルシャ・エジプト・アッシリア・小アジアなどの各地をめぐって真実を探求し、それを『歴史(ヒストリア)』として著した。同じころ、トゥキディデスは『戦史』を著し、ペルシャとのペロポネス戦争の歴史について、演説などを引用しつつ実証的かつ教訓的に叙述した。ヒストリアとは歴史家が自ら探求したものを主体的かつ自由に語ることであった。

中国では、前1世紀、前漢の武帝時代、司馬遷が『史記』を著し、「史」が歴史の意味でも使われるようになった。農耕漢民族と北方遊牧民族の王朝が繰り返すなか、おびただしい数の歴史書が編纂された。「史は史官」といわれ、各王朝に官職の史官が設置され、歴史は、現王朝の史官が先王朝の歴史を、現王朝の正統性を示す視点からまとめる極めて政治的色の強いものであった。

日本の歴史はもともと中国の「史」で、さらに時間の経過を意味する「歴」が付加されて「歴史」となり、「経過した事実の記録」をあらわす意味になったとされている。江戸時代の日本で「歴史」という用語が普及し、江戸時代末期の西洋語の辞書や翻訳書の作成においては、historyの訳語として、縁起・記録・史書など様々な訳語とともに「歴史」が用いられるようになっている。

しかし、インドなどの古文明のように体系化した歴史記述を残していない場合もある。ヒンドゥー教のもつ数十億年のサイクルで世界は創造と破壊を繰り返す輪廻の「循環的（円環的）」の時間間隔のもと、人間界のできごとなど一瞬のことでしかなく、これらを体系的に記述することに意味を見出さなかったものと推測されている。

歴史遺産の保護

文化財としての指定

我々は、過去の時代の痕跡に囲まれている。小高い丘に見られる竪穴式住居の縄文集落の跡、川沿いの低地に広がる稲作の弥生集落の遺跡、全国に展開する古墳や古墳群、奈良・大和地方における水田や集落を背景としてそびえ立つ法隆寺や薬師寺の搭、平安時代の京都の寺院、戦国から江戸期の戦跡や城跡、そして明治の文明開化を象徴する鹿鳴館跡地や札幌農学校の時計台、さらにフランス技術を導入した群馬の富岡製糸場などはその典型であろう。

日本各地で、こうした郷土の先人の過去の遺物や遺構を保存し、同時に郷土の発展に尽くした偉人を敬う歴史館などを設置し、その業績や家訓などを著した古文書や遺品などを選定し史料として展示・保存している。こうした史料は、我々の目の前に「有形」な姿で過去の人間活動の業績を映し出す歴史の遺産といえよう。歴史の遺産は「有形」なものだけではない。我々の社会に残る思想や生活様式、すなわち、風俗慣習や民族芸能なども「無形」の遺産であり、過去からの継承によって積み上げられてきたものである。

我が国では、こうした「有形」・「無形」の遺産のうち特に重要なものについて、「我が国の歴史・文化等の正しい理解のために欠くことのできないものであり、かつ、将来の文化の向上発展の基礎をなすもの」として文化財として指定している。そして、昭和24年の法隆寺金堂の火災をきっかけに、文化財保護法が議員立法として制定され、昭和25年から施行された。そこでは、先人の活動の所産について、以下のように有形文化財・無形文化財・民族文化財・記念物・伝統的建造物群に分類している。

〇有形文化財

建造物・絵画・彫刻・工芸品・書籍・典籍・古文書・そのほかの有形の文化的所産で歴史上または芸術上価値の高いものならびに考古資料及びそのほかの学術上価値の高い歴史資料。

〇無形文化財

演劇・音楽・工芸技術ほか無形の文化的所産で歴史上または芸術上の価値が高いもの。

〇民俗文化財

衣食住・生業・信仰・年中行事などに関する風俗慣習・民俗芸能およびこれらに用いられる衣服・器具・家屋そのほかの物件でわが国の生活の推移の理解のために欠くことのできないもの。

〇記念物

貝塚・古墳・都城跡・城跡・旧宅そのほかの遺跡で歴史上または学術上価値の高いもの（史跡）、庭園・橋梁・峡谷・海浜・山岳そのほかの名勝地で芸術上または観賞上価値の高いもの（名勝）、ならびに動物・植物および地質鉱物で学術上価値の高いもの（天然記念物）である。

〇伝統的建造物群

周囲の環境と一体をなして歴史的風致を形成する伝統的な建造物群で価値の高いもの。

埋蔵文化財

日本の文化財保護法では、土地に埋蔵され、その価値が認められる「遺構」と「遺物」についても埋蔵文化財として指定し、歴史的遺物として保護している。さらに面として広がる遺跡についても「周知の埋蔵文化財包蔵地」として指定し、その保護を求めている。中世の室町時代位までに属する遺跡については、これまでの研究から、その評価判断が可能として法律として指定し、近世から現代に属する遺跡については評価判断を未定として扱い都道府県の教育委員会が管理・保護することとしている。

埋蔵文化財包蔵地内を調査して遺物が出土した場合、発見者は遺失物として、所轄の警察署に届け出ることになっている。掘り出される以前は民法上の「埋蔵物」であり、掘り出され拾われた時点で「拾得物」となるという法的解釈がなされる。警察署では拾得物として受け付けた埋蔵物が文化財と認められるときは、管轄の教育委員会に「埋蔵文化財提出書」を提出し、発見者も「埋蔵文化財保管証」を管轄の教育委員会に提出し、ここで出土品は正式な文化財として認定される。

各地方自治体の教育委員会などにある文化財所管課は、地域のどのような場所に埋蔵文化財包蔵地が存在するかについて「遺跡台帳（包蔵地台帳）」を作成し、範囲を地図上に示した「遺跡地図（包蔵地地図）」を刊行し一般に公開している。こうした場所で土木工事等を予定する者は工事着工前までに文化庁長官に届出をすることが定められている。

文化財の保存と活用

国や地方公共団体（都道府県・市区町村）など文化財の所有者は、公共のために大切に保存し、公開等の文化的活用に努めるよう求められている。

重要文化財は、日本に所在する建造物、美術工芸品、考古資料、歴史資料等の有形文化財のうち、歴史上・芸術上の価値の高いもの、または学術的に価値の高いものとして文化財保護法に基づき日本国政府（文部科学大臣）が指定した文化財であり、重文と呼ばれている。地方公共団体においても、国が指定した重要文化財を除き、区域内に存在する重要なものを指定し管理することができる。地方公共団体（都道府県、区市町村）の多くは、「文化財保護条例」等の名称の条例を制定し、教育委員会が「県指定重要文化財」「市指定重要文化財」等として指定し、その保護を図っている。

文化財の保存と活用業務は所有する団体を基本としつつ、各地に設立された歴史博物館・郷土博物館・自然博物館・資料館・美術館などの各種博物館がその任務を負っている。そして、各地の博物館や図書館には国家資格の学芸員が配置され、考古学、歴史学、地理学、生物学、鉱物学、美術、郷土史学などの分野において、展示物や資料の収集や保管、それらについての研究や解説書の作成、訪れた人たちへの解説、特別展の企画などを担当している。

文化財の保存と活用の両立は困難な課題であったが、近年の保存科学の進展によって、気密性の高いケースに入れて外界の影響を防ぎ、また照明も紫外線や赤外線の少ない光源の利用によって劣化を防ぐなど、良質な保存状態を確保しつつ、長期間にわたる展示が可能となった。この結果、「生きている文化財」として多くの人が親しみ、かつ観光などの「稼ぐ文化財」として地元経済に貢献している。

しかし、観光などの経済的な効果を重視した「文化財を活用する」ことに対し、宗教関係者から抵抗が生まれている。例えば「秘仏」とされるものは、「仏さまに会いに来る方たちのためのもの」であり、公開しないことにこそ宗教的な意味があるのではないか。寺院の文化財の「宗教財」としての意味を忘れてはならないだろう。

世界文化遺産

世界においても「有形」・「無形」の文化財が遺産として広く保護されてきた。例えば、エジプト古代文明、ギリシャ・ローマ文明などの遺産は現在のエジプト、ギリシャ・イタリアだけがその継承者ではなく、世界の人類全体におよぶものであり、まさに人類全体として遺産といえよう。

1972年、国連人間環境会議は文化財と自然環境の保全をめざし、ユネスコ総会において世界遺産条約を成立させた（75年発効）。世界遺産は、歴史上、芸術上、または学術上、「顕著な普遍的価値」を有するものであり（世界遺産条約第一条)、城や神殿、街並みなどの文化遺産、山や渓谷などの自然遺産、さらに文化遺産と自然遺産の両者にあてはまる複合遺産に分類されている。人類の歴史そのものである文化遺産は、以下の基準で登録されている。

○人間の創造的才能をあらわす傑作

例　グラナダのアルハンブラ宮殿。スペインのナスル朝イスラーム建築。

○建築・科学技術・記念碑・都市計画・景観設計の発展に重要な影響を与えたもの

例　ヴェルサイユの宮殿と庭園

○文化的伝統、文明の存在を伝える証拠として稀有な存在

例　カンボジアのアンコールと古代都市群、メキシコの古代都市テオティワカン

○歴史上の重要な建築物やその集合体、景観を代表する顕著な見本

例　トルコのイスタンブル歴史地域

○ある文化（または複数の文化）を特徴づけるような伝統的居住形態、あるいは陸上・海上の土地利用形態を代表する優れた見本

例　スペインのコルドバ歴史地区、マレーシアのマラッカとジョージタウン・マラッカ海峡の古都群

○顕著な普遍的価値を有するできごと（行事)、生きた伝統、思想、信仰、芸術的・文学作品と関連のあるもの

例　ポーランドのアウシュヴィッツ収容所、インドのアジャンター石窟群

歴史遺産を世界文化遺産として登録するか否かは、その国のその時代の思想が色濃く反映され、当時の人々の判断ではなく、現在の人々の価値観、特に政治や経済面からの視点から判断されることに注意が必要であろう。

例えば、トルコ・イスタンブルのハギア・ソフィア大聖堂は、ビザンツ時代の537年にキリスト教の聖堂として建築されたが、オスマン帝国時代の1453年にイスラームのモスクに改造され、1935年トルコ革命の父、アタ・チュルクは欧米流の政教分離を適用し博物館に位置付けた。ハギア・ソフィア大聖堂は、聖堂やモスクという「宗教施設」から、今や歴史上の人間の業績をたたえる博物館という「文化財」にかわった。そして世界文化遺産に登録され、歴史上の重要な建築物やその集合体、景観を代表する顕著な見本、「トルコのイスタンブル歴史地域」の中核として多くの観光客を集めトルコの重要な観光収入源となっている。しかし、トルコの国内でイスラームの復興が叫ばれるなか「宗教施設」のモスクとして復活させる動きが強まっている。

ハギア・ソフィア大聖堂：周辺の塔はイスラームのモスクの時に建てられた。

歴史教育

世界各国で歴史を学校教育の柱としている。その教科書については、日本では民間の教科書を国が「検定」し、合格したものを学校で使用している。しかし米英などのように民間で書かれた教科書を学校が自由に選択する場合もあり、またシンガポールや韓国にように初等教科書を「国定教科書」にする場合もあり、教育へのアプローチはさまざまである。

日本では義務教育の中学校から明確に位置付け、社会の科目を設け、日本史を中心としつつ、世界史として日本に関わる範囲を学んでいる。特に「日本史」は国民の「国家意識」の共有の核として、国家形成の中心を政治におきながら、それぞれの時代の経済・社会・文化について叙述している。

高校でも歴史の学習は必須であり、そこでは、日本史と世界史共に、近現代に限定した科目と、古代から現代まで学ぶ科目で構成されている。明治以降の近現代の歴史が「歴史総合」と呼ばれて必須となり、通史として日本史や世界史を学ぶことは必須ではなくなった。

「歴史総合」の学習目標について述べておこう。「歴史総合」は近現代の歴史の変化に関わる諸事象について、世界とその中における日本を広く相互的な視野から捉え、資料を活用しながら歴史の学び方を習得し、現代的な諸課題の形成に関わる近現代の歴史を考察・構想する科目として位置づけられている。近現代の歴史の大きな変化を「近代化」、「国際秩序の変化や大衆化」、「グローバル化」としてとらえ、現代社会の基本的な構造がどのような歴史的な変化のなかで形成されたのか、これから社会の一員となる学生が、現代的な諸課題の形成に関わる歴史を主体的に考察し構想できるように配慮されている。

そして、学びの目標を、「社会的事象の歴史的な見方・考え方を働かせ、課題を追究したり解決したりする活動を通して、広い視野に立ち、グローバル化する国際社会に主体的に生きる平和で民主的な国家及び社会の有為な形成者に必要な公民としての資質・能力を次のとおり育成することを目指す」とし、学生の資質・能力の学びについて、「知識及び技能」、「思考力、判断力，表現力等」、「学びに向かう力、人間性等」の三つの柱を掲げている。

○「知識及び技能」
近現代の歴史の変化に関わる諸事象について、世界とその中の日本を広く相互的な視野から捉え，現代的な諸課題の形成に関わる近現代の歴史を理解するとともに、諸資料から歴史に関する様々な情報を適切かつ効果的に調べまとめる技能を身に付ける。
○「思考力、判断力、表現力等」
近現代の歴史の変化に関わる事象の意味や意義、特色などを、時期や年代、推移、比較、相互の関連や現在とのつながりなどに着目し、概念などを活用して多面的・多角的に考察したり、歴史に見られる課題を把握し解決を視野に入れて構想したりする力や、考察、構想したことを効果的に説明したり、それらを基に議論したりする力を養う。
○「学びとの向きあい、人間性等」
近現代の歴史の変化に関わる諸事象について、よりよい社会の実現を視野に課題を主体的に追究、解決しようとする態度を養うとともに、多面的・多角的な考察や深い理解を通して涵養される日本国民としての自覚、我が国の歴史に対する愛情，他国や他国の文化を尊重することの大切さについての自覚などを深める。
（高等学校学習指導要領（平成30年）解説　地理歴史編　平成30年7月、文科省）

2　歴史学の方法と分野

実証史学

19世紀、ゲルマン民族の直系を任じるドイツでは、ナポレオンの侵攻によって神聖ローマ帝国が崩壊し、国家・民族の過去への憧れと探求の動きと共に自由独立の気運が高まった。プロイセン王国によってベルリン大学が設立され（1810）、そこに世界初の歴史学の講座が開設された。そして、ベルリン大学教授に就任したランケは新たな歴史学を立ち上げた。

レオポルト・フォン・ランケ（1795～1886）

ランケは、科学同様、「本当の事実」があると考えた。ルネサンス期の古文書などの批判法を導入し、ヨーロッパ諸国の古文書館を歩いて原史料を集めて検証し、宗派や政党の立場に偏らないことを心掛け、「それは本来どうであったか」を求める実証重視の近代歴史学（実証史学）を立ち上げた。そして、19世紀後半以降、ランケの歴史学は欧米文明の世界進出と歩調をあわせ、日本やイスラーム諸国など世界各地におよび、国家や集団の伝統として長く踏み固められたその地の歴史とのあいだに大きな葛藤を生み出すことにもなった。

史料・史実と叙述

実証史学の基礎はどこにあるのか。それは「史料」である。史料のなかでも、「文字」で書かれた記録などの古文書が人間の活動を詳細にわたって記述し、古くから歴史研究の中心に位置し、このため、特に人類が文字を発明した時代を境として、文字をもつ時代を歴史時代呼んでいる。それ以前の文字の無かった時代は先史時代と呼び、この時代については人類が用いた遺物や構造物（遺跡）など「モノ」が史料の中心となっている。

実証史学では史料をどのように役立て、歴史をどう叙述するのであろうか、その基本を確認しておこう。概ね、次の二つの仕事に分類できる。

第一は「史料」を見出し、史実を固めることである。過去の生活は、目の前にさまざま積み重なった痕跡を残しているが、それは、今に生きる我々が探さないかぎり姿をあらわすことはない。「文字」や「モノ」などの歴史の痕跡を見いだしたとき、それが「史料」となる。歴史学者は、史料を検証し、歴史上の客観的事実として、５Ｗ１Ｈ、「いつ、どこで、誰が、何を、なぜ、どのように」を研究し突き止める。この仕事は一般に「批判」と呼ばれ、これが明らかになると、「史実」として研究論文や専門書として発表する。そこでは実証性に価値がおかれるので、著者は読み手が検証可能となるよう史料的根拠を明示することが不可欠である。

第二が歴史の「叙述」であり、歴史に対する一定の考え方や見方にもとづいて史実を選び出し、それを論理的に展開し、諸史実の間の因果関係を明らかにする。そのうえで、その意味や影響、さらに社会の大きな構造の変化や流れを論じ、歴史として今に生きる我々に過去の全体像を提示する。

この二つのステップで歴史は明らかにされていく。しかし実証史学が「実証」を重視しているから、そこに示された事実が100％完璧かといえばそうでないことは明らかだろう。史料は限られ、史料にもさまざまな見解があり、とても100％事実とは断定できない。しかし、多くの歴史学者によって、実証が積み重ねられ、論理的考察が深まり、その客観性は高まっていく。先人の研究を、続く歴史学者が批判し発展させ、歴史は固められていく。そして、現在の歴史学では、歴史家クローチェが「すべての歴史は現代史である」と述べたように、歴史とは現在にたつ歴史家が史料をもとに過去を再構成し叙述したものであり、それは歴史家の過去に対する解釈ないし判断とされている。

歴史の時間軸：暦法

歴史には年を数え記録をする時間軸として、年を数え始める紀元と、年数の数え方である暦法の定義が必要となる。

紀元としては、①ヨーロッパの西暦紀元（キリスト紀元）、イスラーム圏のヒジュラ紀元（622）、日本の神武紀元（前660）などのように歴史全体の紀元を定める、②日本の明治や大正のように君主の即位などを期とする元号を紀元とする、③干支（えと）のように十干・十二支などにより一定年数の繰り返しを用いる、などの方法がある。

現在の世界の暦法はヨーロッパの西暦を基本とし、ユリウス暦を改良したグレゴリオ暦である。そもそものユリウス歴は共和政ローマのカサエルによって紀元前45年1月1日から実施された。1年を365.25日とする太陽暦で、西ローマ帝国滅亡後もヨーロッパを中心に広く使用された。しかしズレが大きく復活祭などキリスト教の祭日の日付が変わるため、ローマ教皇グレゴリウス13世が新たな暦法を決定し、1582年10月15日から実施された。

グレゴリオ暦はキリスト生誕の年を紀元に平年の1年を365日とし、始まりの年を0年でなく1年とする。そして400年間に97回の閏年（うるう年）をおいて、その年を366日とし、400年間における1年の平均日数を 365日と（97/400）日 ＝ 365.2425日（365日5時間49分12秒）とする。この平均日数365.2425日は、実際に観測で求められる平均太陽年（回帰年）の365.242189572日（2013年値）に比べて26.821秒長いだけであり、ユリウス暦に比べ格段に精度が向上した。そして紀元以前についてはＢＣ（Before Crist）、以後についてはＡＤ（Anno Domini: ラテン語で主の年）の用語を用いている。

日本では天皇の即位を紀元として用いている。暦法としては、ヤマト朝廷が百済（くだら）から学問僧を招き、飛鳥時代の推古12年（604）に成立した「陰暦」（「太陰暦」とも呼ばれる）が始まりである。1ヶ月を天体の月（太陰）が満ち欠けする周期とし、月が地球をまわる周期が約29.5日のため、30日と29日の月を作って調節し、30日の月を「大の月」、29日の月を「小の月」と呼んだ。一方で、地球が太陽のまわりをまわる周期は約365.25日で、季節がそれによって移り変わり、大小の月の繰り返しでは、しだいに暦と季節が合わなくなってしまう。このため2～3年に1度に閏月（うるうづき）を設けて13ヶ月ある年を作り、季節と暦を調節し、大小の月の並び方を毎年入れ替えている。日本では、この「陰暦」が明治初期まで続き、1872年（明治5年）にグレゴリオ歴が採用された。

史料と分類

史料は、その範囲も複雑で、かつ多様化の一途をたどっている。歴史上の事実の確定には、さまざまな史料への目配りと、その収集が不可欠であるが、こうした史料について分類や整理学が確立しているわけではない。一例として福井らによる史料分類を挙げておこう。この分類では、史料を、まず人間の生存そのものに影響を与えた自然そのものと、人間が何らかの手を加えた結果として生み出され、そして残されてきたものとに大きく二分する。

自然は史料として不可欠な位置を占める。歴史の舞台となったその場所の地形や気候といった自然地理上の条件、生物としてヒトを含めた動植物の生態学的な条件、さらにそこで生まれた地震や台風などの自然災害などは、人間の生存や生業を考える場合の前提となる重要な要素である。それらに関する情報は、文献・地図などに加え、地表に残され、あるいは土壌に堆積した自然活動の痕跡などから知ることができる。

人為が加わって残された史料は、「モノ」としてあるものと、人間による表象としてあるものとに分けられよう。「モノ」は歴史を読み解く手がかりになる。人間が自然条件に働きかけた結果として残された景観ないし風景もここに入る。現在の景観として見られる田畑の区分や古代の条里制の遺構、あるいは特殊な土地の盛り上がり方から、かつての墳墓や城砦の存在が判明することもある。

さらに都市内部の建造物や空間の配置、街路の構造、あるいは都市の城壁などによって、その歴史的変遷とともに支配者の政治的な意図や宗教観などを読み解き、道具や生活用品などの遺物によって社会層と生活を知りうる。農機具は農業生産、船舶は海上や川による交易など、人間社会との関係を明らかにする上で欠くことない史料である。

人間の表象としてあるもの、これは人間の意志を示す極めて重要な史料であり、形のないものと、あるものとに分類できる。形のない音楽や語り、国家・社会・組織にみる思想・制度などの慣習、村や町に長く続く盆踊りや村歌舞伎などの芸能は伝統の儀礼や伝聞などからうかがい知ることができる。形のある文字や画像として残る古文書、碑文、絵画、地図などはこれまでから歴史研究の中心に位置する形のはっきりした最も重要な史料である。

歴史学の目的と分野

歴史の研究「歴史学」の目的について確認しておこう。多くの歴史学者が見解を述べているが、歴史学者の遅塚は以下の尚古、反省、発展の三点にまとめている。

第一は古（いにしえ）を尚とぶ（とうとぶ）ことである。歴史が好きだから、過去の事柄に興味があるから、その知識を満たすべく歴史を学ぶ。それは他によって代替されえない（一回限りである）がゆえに、われわれの興味や愛着のみならず、時に先人の尊敬への対象として取り上げ、特に大切なものを遺産として保護している。

第二は、過去に照らして現在の社会や文化を反省することである。ここで文化というのは思想や学問や芸術などにとどまらず、むしろ、それよりもはるかに広く、ある時代のある地域といった特定の社会において、そこに生きる人々の生き方の特徴的なかたち（パターン）を総括した広義の文化である。われわれの社会や文化の特徴を客観化し理解し、われわれの生き方を他の人々のそれと比較しながら反省することができる。

そして第三は歴史の発展の道筋を考えることである。歴史学の対象とする歴史的世界は、それを構成しているさまざまな層ごとに遅速の差はあっても、時間の経過とともに変化し、今後もまた変化していく。ギリシャの哲学者ヘラクレイトスは万物流転をもって宇宙の原理となし、鴨長明は川の流れになぞらえて世の無常を詠嘆したが、洋の東西を問わず、そういう変化の意識がわれわれの歴史意識の根底にあるのは間違いない。単に万物流転や栄枯盛衰の循環というにとどまらず、この後の発展に資するべく、変化の原因や理由をたずね、歴史的世界の変化の中に因果関係の連鎖として、ある種の発展の道筋を追求することができよう。

（遅塚『史学概論』岩波書店、2001、p5）

では歴史学には如何なる研究分野があるのか。歴史学では史料が重要な位置を占め、「文字」で書かれた史料を研究する文献史学や遺物や遺構など「もの」を史料とする考古学がその中心に位置する。

現在では南太平洋やカリブ海、アフリカなどに現存する無文字社会を対象に、代々引き継がれて今に至る口頭伝承や儀礼などの社会活動・芸能などを観察し、他の集団と比較する文化人類学も歴史学の重要な位置を占めるようになっている。

現在の日本の大学では、文献史学、考古学、そして文化人類学はどこの学部で研究されているのであろうか。文献史学と考古学は歴史も古く人文科学系の学問として文学部のなかで歴史を専門的に研究する史学科として開設されている。史学科では、文献史学を日本史・東洋史・西洋史の地域別に分類して設置し、これとは別に考古学の分野を設置し、さらに歴史自体を対象に歴史の歴史を研究する史学史や、哲学と研究する歴史哲学なども設置されている。

文化人類学は誕生して間もなく、現存する無文字社会の歴史を中心に研究する場合には文学部史学科に設置されている。しかし、文化人類学のもつ人間の行動を観察し比較する特徴を生かし、現代を対象とし、都市やそこに集う民族集団の活動や性・人種などについて、その社会にうまれる文化の比較や構造を研究する場合には社会学部や教養学部に設置されるなど多様な形態がうまれている。

アメリカやヨーロッパでは日本と異なり歴史学は文献史学のみを意味する。考古学はアメリカでは人類学の一部に属し、ヨーロッパでは伝統的に「文字」を持たない時代の研究する「先史学」と呼ばれる独立した学問となっている。

文献史学

文献史学とは、先人が文字や図などによって残した「文書」を史料とする。文書には特定の相手に意思を伝える公的文書と、請求書や手紙（電子メールを含む）など私人間でやりとりされる私文書がある。さらに、個人的な日記や備忘録などの記録や書籍・新聞・雑誌などの出版物も重要な文書であるし、多数の人々に向けた碑文などもある。媒体は紙だけではなく、木簡・竹簡・石・甲骨・粘土板・パピルスなどが使われる。

文献史料によって、われわれは政治・経済・社会・文化的な歴史的事件や人物に関してなどの詳細を知ることができるが、文書はすべての事象が記録されるわけではない。当時の人々にとって重大で書き留めておかなくてはならないと意識された事象・事物のみが記録され、背景にある日常生活に根ざし語るまでもない事象・事物は述べられていない場合が多い。また、時代をさかのぼるほどに、著述・編纂が為政者層、体制側、知識階級、有力者側、成人男性、都市住民に片寄る傾向があり、その中味も著述・編纂にたずさわる階層の価値観が反映されがちになる。したがって、庶民、女性、子ども、地方の実態はつかみにくい場合が多い。史料が写本の場合には、流通する過程で生じる誤写、記憶違いによる誤記、記録・書写の過程での作為による改変なども考慮しておく必要があるだろう。

文書から得られる情報は文字だけではなく、そこには人口や金額などの数値情報が記載されている。こうした数値情報をもとに、フランスのルイ・アンは統計学や人口学の方法を用い歴史的事象の関連性や構造を明らかにした（歴史人口学）。彼はキリスト教会の教区簿冊（1670-1829）の分析によって個人のレベルで出生・結婚・死亡などに関する人口データを収集し、それらを集合して教会区内の社会構造の歴史を明らかした。日本の速水融も、江戸期後半の宗門人別改帳を用い、そこから得られた人の動きを数値としてとらえ、爆発的な人口の増加や農村の出稼ぎ奉公など一般庶民の行動を定量的に評価し、都市と農村の近世社会の歴史に新らたな知見をもたらした。

考古学

考古学は、人類が残した「もの」の痕跡によって人類の活動の歴史を研究する。考古学は、18世紀、ヨーロッパにおいて古典古代への関心が高まりギリシャやイタリアの遺跡が発掘されたことから始まった。ドイツのウィンケルマンは文献や伝説にたよらず、もっぱら遺跡という「もの」の観察と比較によって『古代美術史』（1764）

を著し、これが考古学の始まりとされている。そして18世紀末のナポレオンのエジプト進出にともない、その研究領域は北アフリカ、オリエント、中央アジアへと広がった。19世紀前半には、北方ヨーロッパの各地で発見された遺跡や遺物の整理・体系化が始まり、デンマークのトムゼンは『北方古代学入門』(1836)において、人類史を道具に着目し、石・青銅・鉄の3時代に区分した。

19世紀後半、地質学やダーウィンの進化論など新たな科学の成果を得て、「もの」を史料とする近代考古学が確立した。遺物・遺構から出土した発掘物について、その地層の特徴や上下関係を解明する「層位学的研究」によって出土層を確定し、さらに形態・材料・製作技法・装飾などの変化に着目して分類する「型式学的研究」がスウェーデンのモンテリウスによって開発され、同時代の遺物・遺構の広がりなどが推定可能となった。そしてその年代を求める方法として、遺物と既に年代の得られた史料との対比や遺跡から見つかった木材の年輪パターンで比較する年輪年代法などが実用化された。

20世紀には、科学的な年代測定法が開発された。遺跡・遺物の木片・炭・骨などから得られた放射性炭素14の崩壊現象を測定する放射性炭素法などによって、より精度の高い年代の推定が可能となった。炭素14 は約5730年を半減期として放射線を放出するので、その放出量の測定により経過年代を計算できる。二酸化炭素中の炭素14は光合成によって植物に取り込まれ、さらに食物の連鎖によって生存中の動物に取り込まれるが、動物は死後に新たな炭素14は取り込まないので、遺骸のもつ炭素14の放射線放出量の測定によって死後からの時間が推定可能となる。

史料は遺物・遺構、そして遺跡に分類される。遺物には石器、土器、木器、青銅器、鉄器など人間の作った物、そしてその制作過程で生じた残滓(ゴミ)のほか、人間の食べ残しなども含まれる。遺構は人間が地表に意図的あるいは無意識のうちに改変を加えた跡であり、具体的には住居跡、水田跡、土器や瓦を焼いた窯跡、道路跡、古墳などであり、遺物と異なり、既に地上の一部を形成し、切り取らない限り移動することは不可能である。遺跡は、旧石器時代の岩宿遺跡、弥生時代の吉野が里遺跡などのように遺物や遺構を集めた総体とした呼び名として用いられている。

考古学の研究範囲は過去から現代までに広がっている。先史考古学は文献的な記録を持たない時代の考古学であり、旧石器時代は石器による道具を中心に、また新石器時代は磨製石器に加え、青銅や鉄による道具を中心に研究がすすめられている。

歴史考古学は文字記録の存在する時代の考古学であり、古代では、ギリシャ・ローマ時代の植民都市・属州における遺跡・遺物、中国における陵墓と兵馬の埋葬物などの遺物・遺跡、日本においては平城京、藤原京などの都城・宮跡・寺院祉の遺跡、木簡、漆紙文書、金石文などが研究の対象となっている。中世では、ヨーロッパの教会・墓地・耕地・城砦や、日本の武士の館や鎌倉など都市の遺構や日常生活用具などが対象となっている。そして、近世・近代では、産業革命当時に建設された工場、鉄橋、ダムなどの建造物や当時使用された道具・機械装置、日本の場合には江戸時代の将軍の墓地、遺体、遺品、都市としての遺構などが対象となる。現代では、廃絶した産業の建物や戦時の防空壕なども発掘調査されている。

考古学は科学技術などの進展によって研究方法が高度化し、対象とする事象などによって、近年、一層の細分化や専門化が進んでいる。水中考古学や海洋考古学は水中にある遺跡や遺物などを調査する考古学であり、日本でも、地すべりで琵琶湖湖底に沈んだ古代の集落や、長崎県鷹島沖の元寇の際の沈没船などが研究されている。

宇宙考古学は人工衛星による地球観測によって密林や砂漠の下に埋もれた古代の都市や遺跡を検知するもので、エジプトで未知のピラミッドを発見するなどの成果を上げている。

急速に発展した環境考古学は歴史を自然環境の変化のなかで研究する。湖底などに形成される堆積物が木の年輪のように縞模様を示すことから、この縞模様「年縞」によって年代を測定し、さらに縞間に含まれるさまざまな自然物質の変化から、当時の周辺の気候・植生を復元し、さらにそこに含まれる物質から当時の人類の食生活などを研究している。

文化人類学

19世紀、欧米諸国の進出が世界のすみずみまでにおよぶと、ロンドンやパリの拠点には各地の民族がもつ社会や文化などの情報が集積された。そして、これらの研究を目的としパリ民族学会が誕生し(1839)、これが文化人類学の基礎となった。

19世紀後半、イギリスのダーウィンは『種の起源』(1859) において生物の進化思想を発表し、これをうけアメリカのモルガンはアメリカインディアン社会の観察から『古代社会』(1877) を著し、人間社会の文明は、野蛮・未開・文明の三段階で進化し、その頂点を西欧近代社会におく社会進化論を主張した。そして19世紀末には、諸民族間の社会を比較研究する研究がすすみ、一方から他方にも伝播したものとする文化伝播論もうまれた。

20世紀になると、イギリスのマリノフスキーなどは実証的な研究法として、住民のことばを習得し、彼らと行動を共にしながら、その生活を詳しく観察する「フィールドワーク (参与的観察法)」を導入した。研究対象は、狩猟・採集・農耕・漁労などの生活様式、言語、神話・伝説、宗教・儀礼、婚姻・家族・親族の形態など幅広い分野に展開した。そして、人間の移動、文化の進化や伝搬などの歴史を明らかにし、これらについて多くの民族間での比較や関係を求め、文化の役割や表面には表れない共通の構造を見いだす研究がすすんだ。

日本でも柳田国男によって民俗学が創始された。農商務省の柳田は、従来の「地主の立場」から「庶民・小作人の立場」を重視した農業政策の転換をはかるなか、とりわけ教育の高くないごく普通の人々という意味で「常民」という独自の用語を用いながら、その常民のもつ風俗習慣・生活技術・伝承など生活様式を中心とする社会史や文化史について研究した。柳田とともに民俗学の発展に貢献した宮本常一は、民俗学のもつ幅広い視野からのフィールドワークについて以下のように述べている。

私の方法はまず目的の村にいくと、その村を一通りまわって、どのような村であるかを見る。つぎに役場にいって倉庫をさがして明治以来の史料をしらべる。つぎにそれをもとにして役場の人たちから疑問の点をたしかめる。同様に森林組合や農協を訪ねていってしらべる。その間に古文書があることがわかれば、旧家をたずねて必要なもの書きをうつす。一方何戸かの農家を選定して個別調査する。……古文書の疑問、役場資料のなかの疑問などを心の中において、次は村の古老にあう。はじめはそういう疑問をなげかけるが、あとは自由にはなしてもらう。そこでは相手が何を問題にしているかがよくわかってくる。と同時に実にいろいろな事をおしえられる。

（宮本常一『忘れられた日本人』岩波文庫、1984、p308 ～ 309）

20世紀後半の文化人類学は、これまでの調査で培ったフィールドワークの実績をもとに、その研究領域を現代の都市社会や環境・医療などの諸問題に広げ、映像や統計学などをとりこみながら実証性を高めている。

文化のもつ意味について、「文化とは後天的・歴史的に形成された、外面的および内面的な生活様式の体系であり、集団の全員または特定のメンバーによって共有されるものである」との見解が有力となっている。そして文化の理解については、「文化（＝生活様式）は、その文化に則して理解すべきであり、よりよい文化、あるいはより悪い文化というものは存在しない。異なった文化があるのみであり、それぞれの文化はそれぞれの価値において記述・評価されるべきである」とする文化相対主義が主張されている。

こうした認識にたち、異なった環境におかれて多様な変異を示す文化と社会を互いに比較し、同じ人間ながら「所変わればヒト変わる」として、その習慣や行動と考え方の様式は文化によっていかに違うかを知り、それを「国際理解」とか「国際コミュニケーション」の基盤として役立てることが重要視されている。

3　歴史を学ぶ効用

歴史から学ぶ知識

ドイツの鉄血宰相として知られるビスマルクは「愚者は経験に学び、賢者は歴史に学ぶ」と述べている。経験は個人のものでしかなく自ずとその範囲も規模も限られる。しかし、歴史は人類の誕生以来のあらゆる人々の経験の集大成であり、個人の経験よりはるかに多くのことを含んでいる、だから賢い人は歴史に学ぶのだという。では、我々が歴史から学ぶべき知識とはどのようなものであろうか。以下のハーバード大学の二つの日本史の問題は、その具体例として大いに参考となろう。

（A）　日本と朝鮮半島の間には､緊密かつ複雑な歴史がある。古代から近代までの間で、三つ、または四つの時代を取り上げ､「友好」と「敵対」という側面から、両者の関係の変遷を説明せよ。

（B）　日本の歴史の転換点である、1600年、1868年、1945年の中で、どの年が最も重要だと考えるか。日本の政治、社会、文化の変革に与えた影響という観点からその理由を述べよ。また、他の二つの年の重要性についても論述せよ。

（佐藤智恵『ハーバード日本史教室』中公新書クラレ、2017、p 3）

（A）は、時に大きな問題となる朝鮮半島と日本の関係である。冷静な対応をとるうえで不可欠な知識として､「朝鮮半島との関係は長い歴史があり、友好や敵対など緊密かつ複雑な関係がうまれてきた」ことを問いかける。振り返れば、古墳時代の鉄資源を求める朝鮮半島南部進出（百済･伽耶）と内乱に伴う朝鮮人の日本渡来、飛鳥時代の朝鮮百済再興への援軍と唐・新羅連合軍への大敗（白村江の戦い)､室町時代の日本の朝鮮襲撃（倭寇）と朝鮮の対馬侵攻（応永の外寇)、その後の経済関係修復（朝鮮南部三浦への居留地設置)、安土桃山時代の秀吉の朝鮮侵攻と江戸時代の朝鮮通信使による外交関係修復、明治から昭和にかけての日清日露戦争・韓国併合と戦後の日韓基本条約による友好関係復活など、粘り強く「敵対」を「友好」の関係へと発展させた先人たちの努力を確認できよう。

（B）では、1600年関ケ原の戦い、1868年明治維新、そして1945年第二次世界大戦における米・英・ソなど連合国に対する敗北の年、３つの時代の転換点をとりあげている。そして日本の国家体制が幕藩国家、立憲君主制国家、現在の民主制国家成立と大きく変化したことを確認し、その時代の経済、社会、文化など、近世・近代・現代の日本の歴史変遷の基礎知識を問うている。

ハーバード大学の（A）（B）二つの問題は､歴史から学ぶ知識として、広い視野から反省すべき点を求め、さらに今後の進むべき発展の道を追求する、格好の問いといえよう。

歴史の教訓:「トゥキディデスの罠」

多くの歴史学者が、歴史から反省し今後の発展に向け多くの教訓を求めてきた。一方で、ドイツの哲学者ヘーゲルは､「民衆や政府が歴史から学んだことは一度たりともなく、歴史から引き出された教訓から行動したことは全くない」という。そして「それぞれの時代はそれぞれに固有の条件の下に独自の状況を形成する」がゆえに他の時代の教訓は役にたたない、といい歴史の教訓の存在を否定する。

ここでは歴史の教訓を積極的に追求する一例として、アメリカの歴史家グレアム・アリソンの研究を紹介しておこう。彼は著書『Destined for war』のなかで、ギリシャの歴史家トゥキディデスが著作『戦史』において戦争の本質を「アテネの台頭とスパルタの不安」としたことをとりあげ、それはその後も繰り返された壊滅的かつ不可解な戦争がうまれる根本的原因ではないかという。その教訓は新しい勢力が既存のトップの地位を脅かすときに生じる自然で避けられない混乱であるとし「トゥキディデスの罠」と呼んだ。

「トゥキディデスの罠」はどんな領域でも起こりうるが、最も危険な結果をもたらすのは国家関係においてであり、この力学は2000年以上にわたり国際関係の底流をなしてきたという。そして、過去500年の歴史を調べ、新興国が覇権国の地位を脅かしたケースを16件見つけた。よく知られるのは100年前に工業化して力をつけたドイツが当時の国際秩序の頂点にいたイギリスの地位を脅かしたケースであり、その対立は、第一次世界大戦という最悪な結果を招いた。このように戦争に行きついたケースは16件の対立のうち12件で、戦争を回避したのは4件であったという。

そして今、多極化する世界のなかの二大国家、覇権国アメリカと新興国中国が、どちらも望まない戦争に向かおうとしているとし、その解決策として、両国の指導者に対し賢い選択を求めている。アリソンのように、広く過去の戦いをケーススタディとして検証して説得力を高め、そのうえで戦争を回避するうえでの課題を明らかにすることは、今後の新たな歴史研究の方向性を示すものとして注目されている。

第Ⅱ章　世界史の概要

1　世界史の構図

世界史の基礎：文明

アーノルド・トインビーやマクニールの世界史

世界史とは、地球空間において人類が誕生し、食料を求めて移動し、やがて定着して地域世界を形成し、そして現在の地球世界を形成するまでの「人類の歴史（人類史）」である。それはどのように構想されてきたのであろうか。

19世紀末、地球世界が成立をみた頃、近代歴史学の生みの親のランケは民族の国づくりの過程を歴史とし『世界史概観』（1881）を著したが、それは、古代オリエントから始まってギリシャで花開き、ローマ帝国の興隆を経てキリスト教的ヨーロッパの世界が誕生し、そしてゲルマン民族を中心とする近代のヨーロッパ諸国が形成されるとする世界史であり、まさにヨーロッパを中心とする世界史であった。

20世紀の前半、トインビーは大きな視野から歴史を見直し『歴史の研究』（1930）を著した。そこでは歴史変遷の基礎をランケのような民族・国家や社会から、もっと広く、宗教・言語・歴史・習慣・制度などの「文明」の領域においた。そして「文明」を、ある時期に興り、次第に栄え、やがて衰え滅びる、生き物のような有機体とみた。その上で、ヨーロッパの文明はこれまでに地球上にうまれた文明のひとつにすぎず、世界史はランケのようなヨーロッパ文明の拡散ではなく、様々な文明の「遷り変わり」であると主張した。

トインビーによって歴史の視野はヨーロッパ中心から世界へと広

がり、以降、世界史は文明を基礎に叙述されることが主流となった。世界で広く読み続けられているマクニールの『世界史』においても、世界史の叙述の基礎を「文明」におく。マクニールは「文明」について「なみはずれて質量の大きな社会であり、何百、何千キロメートルにわたり、しかも、人間個人の生涯の長さにくわえれば途方もなく長い期間を通じて、何百万という人間達の生活を、ひとつの緩やかな、しかも一貫性のある生活へと織りなす」と述べ、世界史の叙述について以下のように述べている。

基本的な考え方は簡単である。いつ、いかなる時代にあっても、世界の諸文化間の均衡は、人間が他に抜きんじて魅力的で強力な文明を作りあげるのに成功したとき、その文明の中心から発する力によって攪乱される傾向がある、ということだ。そうした文明に隣接した人々、またそれに隣接しあう人々は、自分たちの伝統的な生活様式を変えたいという気持ちを抱き、また否がおうでも変えさせられる。これは技術や思想を率直に借用しておこなわれる場合もあるが、それより、いろいろなものを、その条件にもっとスムーズに適応させて行われる場合が多い。

時代が変わるにつれて、そのような世界の攪乱の焦点は変動した。したがって世界史の各時代をみるには、まずそうした攪乱の起こった中心、またはいくつかの中心について研究し、ついで世界の他の民族が、文化活動の第一次的中心に起こった革新について学びとり経験したものに、どう反応ないしは反発したかを考察すればよいことになる。

（マクニール（増田・佐々木訳）『世界史（上）』中公文庫、2008、p36 ～ 37）

教科書の世界史

世界史という言葉が、日本で最初に生まれたのは第二次世界大戦後のことであり、それは占領軍の民間情報教育局の示唆をうけた戦後の教育改革から始まった。その世界史は、明治の主要国の歴史を集めた「万国史」を脱し、優位のヨーロッパと劣位のアジアを対比的に描くことから始まった。1970年代にはいるとトインビーの文明からヒントを得たとされる上原の『日本国民の世界史』(1960) の影響をうけ、文明が誕生し地域世界から現在の地球世界の形成に至る人類史となり現在に至っている。

しかし、世界各国では世界史として明確なものがある訳でもなく、ヨーロッパ、イスラーム諸国、中国を中心とする東アジアなどで、自国の歴史がそれぞれに叙述されている。神話や伝説をもとにする歴史があり、キリスト教、イスラーム教、仏教などの宗教が社会の中心をなす地域では、今なお、その宗教観をもとに歴史は叙述されている。そして、中国では歴史を時の政権の歴史専門家「史官」が叙述する伝統を引継ぎ、政権の意向を強く意識している。我々は世界も日本と同じような世界史を学んでいると考えがちであるが、「文明」を基礎として自国の教科書を叙述することは、世界のどこでも採用されているわけではない。この点をはっきりと理解しておく必要があろう。

文明とは何か

人類の始まりは、800～500万年前の猿人で、20万年前、現人類の直接の祖先である現生人類が中央アフリカに誕生し、それが北アフリカ・ヨーロッパ・アジアの各地に広がっていったとされている。

1万年前、氷河の時代が終わり、地球は温暖化し、陸地はほぼ現在の姿になった。人類は各地の自然環境に適応し、狩猟や採集を主に打製の石器を用いる獲得経済の時代（旧石器時代）を経て、定住して農耕・牧畜を開始し磨製の石器を用いる生産経済の時代（新石器時代）に入った。

前3000年ころまでに、人類はメソポタミアのチグリス・ユーフラテス川、エジプトのナイル川、インドのインダス川、中国の黄河・長江流域など乾燥地帯の川の流域において、氾濫などの自然の力を利用した灌漑農耕を学び、集落を形成し、青銅器などの金属器の道具を用いるようになった。食料の生産力は高まり、集落を統合した都市が形成され、交易の記録や神を祀る宮殿への貢納を記録する文字を作り出した。歴史学では、これを「文明」の誕生とし、その成立の指標を、金属器の使用、都市の形成、文字の発明の三つにおいている。

文明という言葉は英語のCivilizationに対応するものであり、語源的にみても「都市/city」から発展した用語で、都市全体、すなわち都市の持つ政治・軍事、経済などの役割と、そこに住む人々の生活全体を指している。都市は人口密集地であるがゆえに利便性が強く求められ、特に優れた利便性を持つ都市は周辺を圧倒し影響力を強めた。この都市を中心に形成された宗教・言語・歴史・習慣・制度などの全体像を示す用語として「文明」が用いられている。

文明と文化

文明と混同される言葉に「文化」がある。もともと「文化/culture」の語源はラテン語のcorele「耕す」で、農耕や牧畜などの食糧生産と深く関わる言葉である。それ故に文化はその土地の自然や風土の影響を色濃く受け、その土地では有効であっても、よその土地には当てはまらない「地域性」の強い生活に密着したものである。そして、農耕は収穫が上がるような品種改良や農耕技術を発達させながら伝播し、食料の安定供給が可能となる場所には人口が集積する都市を成立せしめ文明が育まれた。

植物学者の中尾は、農耕・牧畜の起源にてらしあわせ、その発生地と伝播ルートから農耕文化圏を以下の4つに分類する。

①根菜農耕文化

湿地の多い東南アジアやオセアニアが発生地。バナナ、サトウキビ、クロイモ、ヤムイモ、タロイモなど。

②サバンナ農耕文化

アフリカやインドが発生地。ササゲやヒエ、ヒョウタンやゴマなど。稲作を行う中国や日本の農耕は同じイネ科の植物のヒエを栽培するサバンナ文化が伝播したもの。

③地中海農耕文化

オリエントと呼ばれる西アジア。特にメソポタミア文明がうまれた「肥沃な三日月地帯」が発生地。オオムギ、コムギ、エンドウ、カブ。

④新大陸農耕文化

南北アメリカが発生地。ジャガイモ、トウモロコシ、トマト、トウガラシ。コロンブスの発見を機にヨーロッパに広がって人口増大を支えさらに世界に広がった。

（中尾佐助『栽培植物と農耕の起源』岩波新書、1966、p ii ～vii）

文明・文化と集団：人種・語族と民族

文明も文化も人間の「集団」や複数の「集団」が生み出したものであり、集団は、その地の自然環境に適応して生きぬく過程で形成されてきた。

集団の見方の一つに「人種（race）」がある。人種は生物学的・身体的特徴によって分類されたヒトの集団で、分類の基準を、身長・頭のかたち・骨格・皮膚の色・毛髪・目の色・血液型・遺伝子などの肉体の特徴におき、学問的には医学との関係が深い形質人類学が担っている。最も大きい分類では白色人種（コーカサイド)、黄色人種（モンゴロイド)、黒色人種（ネグロイド）に分けられている。そして人種のもつ遺伝的系統は、近年のタンパク質や最近の核ＤＮＡの型による分析技術によって解析され、最初にアフリカ人がうまれ、次にヨーロッパ人がうまれ、さらに東・東南アジア人とオーストラリア人がうまれ、最後に東・東南アジア人とアメリカ原住民が分岐したと考えられている。

生活の営みからみた「集団」の見方もある。人類は、長く居住地を一つにして生活している間に、言語・風俗・習慣そして宗教など文化的な伝統を育み、そこに帰属する意識（identity）を形成した。特に言語は集団のコミュニケーションに深くかかわり、人々の思考様式や心性と密接にかかわっている点で重視な位置をしめる。そして、その集団は居住地から遠く分散移動して、長い年月をへたのちも明確に識別でき、その特性をもっとも系統的にとらえることができる。

このため歴史学では同じ言語をもつ集団を「語族」と呼び、大きく、インド・ヨーロッパ語族、中東と北アフリカのセム・ハム語族、中央アジアのアルタイ語族、中国大陸のシナ－チベット語族などに分類している。

広く生活様式を同じくする集団を示す言葉として「民族」という言葉も用いられる。言語を指標とした「ゲルマン民族」とか「ラテン民族」などの用語や、生業形態や生活様式に着目した農耕民族・狩猟採集民族・遊牧民族・騎馬民族などの用語がよく使われる。しかし、民族はある集団を示す言葉としては、その範囲が不明確な場合が多い。歴史の記録においても極めて漠然とした用法で、その国の国民そのものを指す場合もあり注意が肝要である。

５つの時代区分：古代・中世・近世・近代・現代

世界史の流れを把握するためには、時間を大きく分けた時代区分が必要となる。100年単位の世紀の単位を基本としながら、「長い○○世紀」、「短い○○世紀」と呼ぶ区分も用いる歴史学者もいるが、歴史書や教科書などで広く普及している時代区分は、ルネサンス時代のヨーロッパ世界でうまれた古代・中世・近代を基礎とする考え方である。

16世紀のルネサンス時代の学者は、自らのたつ時代をキリスト教の時代を脱しギリシャ・ローマの古典文明が復興した「新たな時代：近代」であると考え、古きギリシャ・ローマ古典文明の時代を「古い時代：古代」とよび、それに続いたキリスト教の時代を「中間の時代：中世」とよんだ。そこでは、古代から中世への転換点を、西ローマ帝国が滅亡しフランク王国が成立しローマ・カトリックを奉じてヨーロッパのキリスト教化が始まる、5世紀央の時点においた。

19世紀の近代歴史学においても、この古代・中世・近代の区分の発想をそのままに受け継いだ。そして今、日本の世界史教科書やマクニールの世界史のように「ルネサンス期の近代」から現在までについては、近世・近代・現代の３区分をあてはめ、世界史を古代・中世そして近世・近代・現代の計５区分とし、その始点を以下においている。

古代：前3000年ごろの文明の誕生
中世：5世紀央、ローマ帝国の滅亡とフランク王国の成立
近世：16世紀、ルネサンスの開花、大航海時代の本格化
近代：18世紀後半、イギリスの産業革命と米・仏民主革命
現代：19世紀末、人・物・金・情報が一体化して動く地球世界の成立

こうしたなか近世を前近代と呼ぶ場合もあり、また近世を近代に含ませ、古代・中世・近代・現代の４区分する場合もあるので留意したい。

５区分と各地におこった文明

古代（～4世紀まで）

前3000年ころ大河川流域の都市を起点とし、**メソポタミア文明・エジプト文明・インダス文明・中国文明**（４大文明）が興り、その周辺に帝国が形成されていった。

中世（5世紀～15世紀）

ヨーロッパではローマで国教となったキリスト教をもとに、西側にローマ・カトリックを奉じる**西欧文明**が、また東側にはキリスト教東方正教会を中心におく**ビザンチン文明**が形成された。アジアでは儒教を統治基盤する**中華文明**がうまれた。こうしたなか、7世紀の中東から新たな一神教イスラームが誕生し、**イスラーム文明**は西アジア、中央アジア、東南アジア、そしてアフリカへと拡大していった。

こうして、中世の世界はキリスト教、儒教、イスラームの宗教を骨格とし、大きくヨーロッパ、東アジア、中東・西アジアなどの三つ領域に再編され、その周辺を**ヒンドゥー文明**のインド世界、**仏教**

文明のモンゴルや東南アジア世界が取り囲み、アメリカ大陸では**マヤ文明、アステカ文明、インカ文明**が誕生した。

15世紀央、東ヨーロッパで君臨したビザンチン帝国がイスラームのオスマン帝国によって滅ぼされると、以降コンスランチノーブルの東方正教会を中心としたビザンチン文明はモスクワのロシア正教会に引き継がれ**ロシア正教文明**として発展していった。

近世（16世紀～18世紀前半）

16世紀、**西欧文明**は中世キリスト教社会を脱し、ルネサンス・大航海時代・宗教改革の三つの激流をうみだして新たな社会の形成に向い、大航海時代の幕開けによってアジアや新大陸アメリカなどへとその影響力を広げていった。

この時代のアジアでは**イスラーム文明**や**中華文明**などが威容を誇った。特にイスラーム文明が威容を誇り、アジア・アフリカ・ヨーロッパの三大陸にまたがるオスマン帝国、イラン・サファヴィー朝、インド・ムガル帝国などが繁栄した。中国では明につづいて満州族の清帝国が成立し漢民族の儒教を守り中華文明を発展させた。

近代（18世紀後半～19世紀末）

18世紀後半、**西欧文明**はアメリカにも拡大し世界の覇権をにぎった。産業革命や民主革命によって、経済力や軍事力を高め、さらに国民を動員し自らの経済圏拡大をめざしアジアへ向かい、世界のすみずみに植民地を求めた。アジアは欧米勢力の進出をうけ激しく動揺した。

現代（19世紀末～）

19世紀末には第二次産業革命によってアメリカやドイツが台頭し、**西欧文明**は経済と軍事の両面で世界を圧倒した。その後、二つの世界大戦や冷戦が終わり、20世紀末からの世界各地が交流するグローバルな時代を経ると、中国の**中華文明**、中東諸国の**イスラーム文明**、ロシアの**ロシア正教文明**、インドの**ヒンドゥー文明**、**日本文明**、**仏教文明**など宗教や思想などの伝統をもとに、それぞれの国が自己主張を強める時代となっている。

5区分と文明の育んだ力：各地の人口・経済の規模の変遷

５区分のもとで、どの文明が優位に立ち世界を主導していったのか、文明の育んだ力を人口と経済規模（ＧＤＰ）とし、その変化を明らにしよう。ＯＥＣＤ（経済協力開発機構）のエコノミストであったアンガス・マディソンは、世界地域別の人口と経済規模（ＧＤＰ：国内総生産）について、『経済表』（2004）を著した。そこでは、ヨーロッパ発の大航海時代によって地域世界のつながりが本格化する1500年以降について、中華文明、イスラーム文明、ヒンドゥー文明が並びたったアジア、西欧文明のヨーロッパとアメリカという三地域の人口と経済規模の推定値を示した。統計年として、近世·近代·現代のそれぞれ節目の年を採用した。1500年以前については、西暦1年、1000年の人口のみが示されているので注意したい。

近世　1500：大航海時代の始まり。
　　　1600：ヨーロッパ蘭・英・仏のアジア進出（東インド会設立)。
近代　1700：ヨーロッパの主権国家形成と世界への進出。
　　　1820：産業革命（石炭)、国民国家成立。欧の世界市場への進出。
現代　1870：第二次産業革命（石油)、地球世界の成立。
　　　1913：第一次世界大戦前夜。
　　　1950：第二次世界大戦の終結・冷戦の始まり。
　　　2000：冷戦の終結と多極化世界の始まり。

経済規模（ＧＤＰ：国内総生産）については、より正確性を高めるべく物価の変動率などで見直した杉山伸也『グローバル経済史入門』

に示された調整値を採用し、５区分ごとに、人口とＧＤＰ、さらに歴史上の主要な出来事を併記し一覧にまとめた。この調整値は多く

世界の人口と経済の規模（1 ～ 1500 ～ 2000 年）

上：人口・億人、下：ＧＤＰ・千億ドル

西暦年	世界	アジア	ヨーロッパ	アメリカ	
		（古代・中世：地域世界の時代）			
1	2.3				
	—				
1000	2.6				
		（近世：地域世界のつながり）			
1500	4.3	2.8	0.6	0.02	**大航海時代**
	2.5	**1.6**	0.4	0.01	
1600	5.5	3.8	0.7	0.015	**アジアの隆盛**
	3.3	**2.2**	0.7	0.01	**東インド会社成立**
1700	6.0	4.0	0.8	0.01	
	3.7	**2.3**	0.8	0.01	
1750		**（近代：欧米の世界市場開拓）**			
				産業革命（石炭）・民主革命	
1820	10.4	7.1	1.3	0.1	**西欧の高度成長**
	7.0	**4.1**	1.6	0.13	
		（現代：地球世界の成立）			
					第二次産業革命（石油）
1870	12.7	7.7	1.9	0.4	
	11.1	4.2	**3.7**	0.98	
					アメリカの成長　第一次世界大戦
1913	17.9	9.8	2.6	0.98	
	27.3	6.8	**9.0**	5.2	
					第二次世界大戦　冷戦の始まり
1950	25.2	13.8	3.0	1.5	
	53.3	9.8	14.0	**14.6**	
					冷戦の終わり
2000	61.4	36.5	3.9	2.8	**アジアの成長**
	365.0	**137.6**	74.3	79.4	
	中国・インド・韓国・台湾などの急成長				**多極化世界の形成**

の仮定のうえに成り立つものであって統計上の限界に注意する必要があるが、こうした限界を考慮しても文明が育んだ各地の人口や経済規模の理解するうえで極めて有効であろう。

表では注目すべき数値に囲みを与えた。これによれば、近世のアジアの経済優位が、近代の19世紀末になると産業革命によって著しく発展したヨーロッパの経済優位に転じ、20世紀に入るとアメリカ、統合したヨーロッパ（ＥＵ）、日本に加え、中国・インド・韓国や台湾などが急成長し、経済力からみても「多極化する世界」の姿が明らになった。

５区分と形成された世界：地図や交通にみる変遷

前項で述べた文明の育んだ力、即ち人口と経済規模（ＧＤＰ）によって、５区分毎に地図や交通などに着目しどのような世界が形成されたのか明らかにしよう。

古代：文明の誕生と地域世界の成立

前3000年ころに、メソポタミアのチグリス・ユーフラテス川、エジプトのナイル川、インドのインダス川、中国の黄河・長江流域などに文明が誕生した（４大文明）。こうした文明を核にして、オリエントの世界、ギリシャとヘレニズムの世界、ローマの世界、インドの世界、東アジアなどの地域世界が形成されていった。

世界の人口は暦元年 2.3億、1000年 2.6億、1000年間で1.13倍、年率換算で0.013%というほぼゼロの成長であり自給自足と交換が経済の中心であった。このため力のおよぶ領域は限られた。この時代の世界の認識はギリシャやローマの地図史料から明らかなように、自らの地域世界を正確に認識したが、その周辺の存在は伝聞情報が中心であった。

前6世紀頃のギリシャのヘカイタイオスは、地中海沿岸や黒海の

四大文明の地

沿岸までかなり正確に描いたが、インドやインダス川の存在もペルシャ人からの伝聞で描き、インドを世界のいちばん東の太洋に接する位置に描いた。歴史家ヘロドトス（紀元前485年頃-前420年頃）はエジプト、ペルシャ、スキタイなどを訪れており、カスピ海が内海であることなどを正確に描いている。一方で、イステル川（ドナウ川）の流れなどは不正確である。

2世紀、ローマのプトレマイオスは、球面に接する円錐面に経緯線網を投影する円錐図法によって北を地図の上におく半球図を考案しローマ帝国の世界を描いた。地中海沿岸から北西ヨーロッパにかけて、スカンディナヴィア半島が島とされていることを除き、ほぼ正

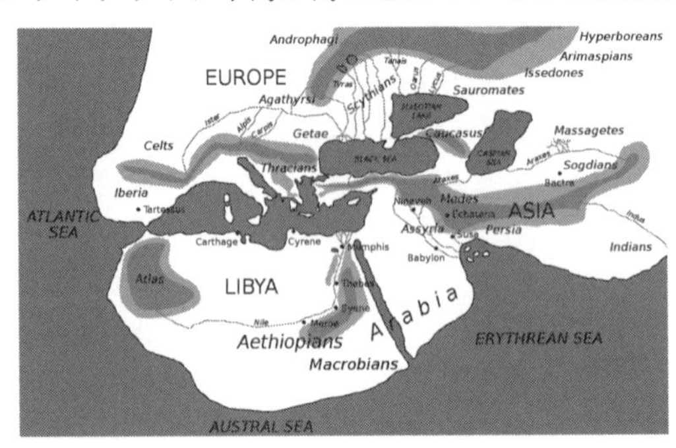

ヘロドトスの世界地図（再現版）

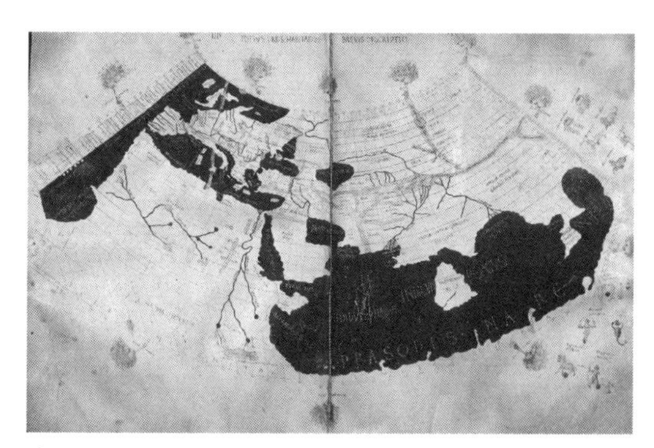

プトレマイオスの地図：右側中央の三角形島はセイロン島

確に描いている。アフリカについては赤道付近まで描き、その南は「未知の土地」とした。

アジアをみると、半島の突出は不十分ではあるがインド半島、大きな島ではあるがセイロン島、そしてマライ半島やタイ湾を描き出している。アジアの北部も、「未知の土地」とされているが、地図の北東部に、セラを首都とするセリカという国を描いている。セリカは「絹の国」の意味であり、これはシルクロードによって知られた中国の世界で、セラは前漢時代の都長安（現西安）を指すと考えられている。

中世：地域世界の拡大（ヨーロッパ・東アジア・イスラームの世界）

ヨーロッパでは西ローマ帝国を母体とする西欧文明と東ローマ帝国を母体とするビザンチン文明が、アジアでは儒教の中華文明が形成され、中東では新たな一神教イスラームによる文明が興った。世界人口は、1000年 2.6億、1500年4.3億、この中世後期の500年間に着目すると、この間で1.65倍、年率換算で0.13％の成長をとげた。この値は、1～1000年までに比べ、ほぼ10倍の伸びである。農耕技術の発展によって生産力が向上し人口も増加し、交通の発達によって商業も発展した。こうしたなか世界の認識は大きく広がった。

プトレマイオスの地図：右側中央の三角形島はセイロン島

中世初期には地図は宗教中心の世界観によって描かれ、キリスト教やイスラームなど宗教の拡大とともに地図も広域化し、交通や巡礼などの実用性をもつ地図が描かれた。6世紀頃のＴＯ図は、Oのなかに T の文字をおいた地図で、当時のキリスト教のもつ世界観を示すものである。Oは世界の周辺を示すオケアノス・海であり、Tによって世界の陸地をアジア・アフリカ・ヨーロッパに三分し、地図では楽園が存在する東のアジアを上半部分に配置する。Tの左横線はアジアとヨーロッパの境界をなすタイナス川（現在の黒海に流れ込むドン川）、そして右横線がアジアとアフリカとの境界をなすナイル川で、縦線はヨーロッパとアフリカの境界にあたる地中海を表わし、地図の中心に聖地イエルサレムが位置している。

7世紀、イスラームの世界が西アジアから北アフリカやイベリア半島まで拡大すると、内陸の隊商交通やインド洋の海洋交通、メッカへの聖地巡礼を行なう上でも、正確な地理の知識が必要になった。こうしたなか、12世紀に生まれたのが南を地図の上におくイドリーシーの地図である。イドリーシーはイスラームの地理書をもとに、プトレマイオスの陸地の形状や山脈・河川の情報を参考に、西アジア、内陸アジア、北アフリカ、そして中国、東南アジアについての新しい情報を記載した。

中世後期、12～13世紀には、各地の経済成長の高まりうけ、ヨーロッパから中東へ向かう十字軍遠征によってイスラーム世界との交通や交易が開かれ、さらにアジアのモンゴル帝国による中東やヨーロッパへの遠征によって東方世界の知識が広まるなどユーラシア大陸の東西交流が深まった。13世紀末、東方旅行に出発し中国に17年間滞在したマルコ＝ポーロの『世界の記述（東方見聞録）』によって、中国、黄金の国ジパング、東南アジアやインド、アジア諸島の情報も明らかになった。

十字軍の遠征、マルコ＝ポーロの東方見聞、イスラームのイドリーシーの地図によって、ヨーロッパ世界、東アジア世界、そしてイスラーム世界の大きな三つの地域世界の形成をみてとれよう。さらに中国で南北を指すことが発見されアラビア人によってヨーロッパに伝えられた磁針は羅針盤として実用化された。そして、天文学や地理学とむすびついて地中海や黒海の海図が作成され、ヴェネティア・ジェノヴァなどイタリア諸港を中心とする航海術が発達し、14世紀にはスペイン・バルセロナでカタロニア地図（1385）などの世界図が作成されるに至った。

近世：大航海による新大陸発見・開拓と地域世界のつながり

15世紀末に始まった大航海時代以降の200年間、世界の人口と経済はさらなる伸びをみせた。1500年で人口4.3億人・ＧＤＰ2500億ドル、1700年で人口6億人・3700億ドルとなり、この200年間で人口が年率0.2％、ＧＤＰ年率0.25％と、中世の倍の伸びを示す発展をとげた。中華文明、イスラーム文明、ヒンドゥー文明などアジアの文明が圧倒的な力を誇り、そのＧＤＰは世界の半分以上を占め、ヨーロッパの約3～4倍の規模を誇った。

こうしたなか、15世紀央、ポルトガルとスペインは、コンスタンチノープルが陥落し地中海がイスラームのオスマン帝国の手におち

マルティン・ベハイムの地球儀（1492）

ると、15世紀末には、帆船に火器を携え、大西洋を経由して繁栄するインドや中国を目指し交易を求めた。ポルトガルのディアスがアフリカ大陸･喜望峰を発見し（1488)、スペインのコロンブスは新大陸を発見し､それをインドとみた（1492)。アリストテレスの地球球体説が復活し、ベハイムは、ヨーロッパにつづく半球をアジアとしてマルコ=ポーロの情報から中国を配置し、その東にジパングを配置した地球儀を作成した（1492)。

ポルトガルとスペインはローマ教皇の調停のもとで世界を分割し（トルデシリャス条約、1494)、ポルトガルは大西洋を南下し、ヴァスコ=ダ=ガマがインド航路を開き（1498)、16世紀に入ると、カブラルはインド進出をめざすなか南アメリカに漂着しブラジルを発見し（1500)、イタリア人カンティーノはこれを地図に描いた（1502)。スペインは西に針路をとった。ヴェスプッチはコロンブスの発見がインドではなく新大陸であると明らかにして「アメリカ」と名付け（1507)、マゼランは世界周航によって地球球体説を実証した（1519～1522)。さらにアメリカ大陸を征服し、太平洋を越えてマニラに拠点を築き（1571)、世界の大帝国へと発展した。

16世紀央､オランダのメルカトルは､海図としての利用を意識した

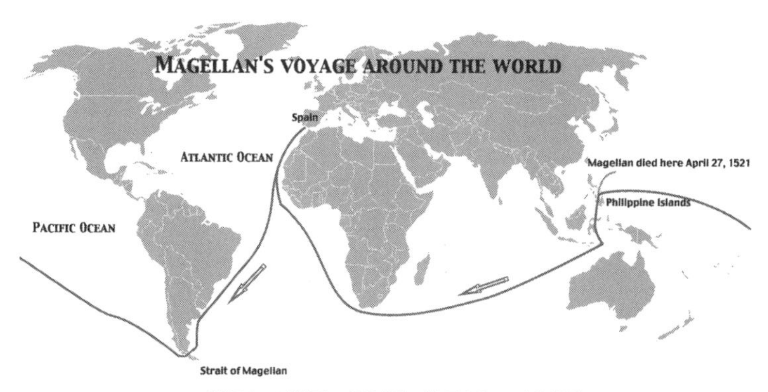

マゼランの世界一周航路（1519～1522）

正角円筒図法の画期的な世界地図を完成させた。そこではヨーロッパやアフリカの内陸部にプトレマイオスやマルコ＝ポーロの記述がのこるものの、南北アメリカとアジアを分離して世界をほぼ正確に描き、南半球を巨大な大陸として描いた。17世紀になると蘭・英・仏の三国は東インド会社を設立してアジア交易や世界進出への主導権を握り、イギリスからアメリカへの移民が始まった。

メルカトル図（1587）

近代：欧米主導による世界一体化

18世紀後半、ヨーロッパでは産業革命によって資本主義経済が誕生し、民主革命によって国民国家を形成され、経済の高度成長が始まった。欧米の経済規模を二つの革命前の1700年と革命後の1870年の間をみると、この間で約4～5倍となり、アジアを大きく上回る成長をみせた。

ヨーロッパやアメリカでは産業労働者の急増によって著しい人口成長をみせた。イギリスのロンドンは、1830年ころには世界最大の都市となり、1855年世界初の鉄道ネットワークであるロンドン地下鉄が開通した。パリは18世紀央からの都市改造により、その人口は約170万人口を数えた。アメリカには、ヨーロッパからの大量の移民が押し寄せ、人口は1820年の1000万から1870年には4000万に達し、特にニューヨークの人口は1860年までに80万に成長し、アイルランドからの移民が20万人を超えた。

18世紀後半から、産業革命によって供給力を高めたイギリスを先

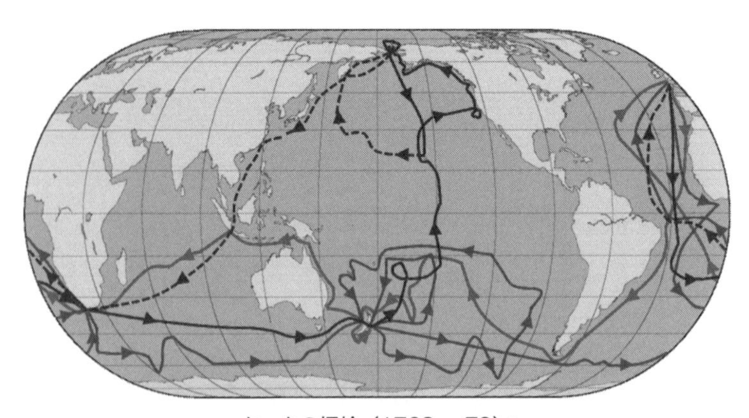

クックの探検（1768～79）：
薄実線は第1次と第2次の航海、濃実線は第3次航海。クックは第３次航海時ハワイで殺された。破線はクック死後の隊員による航海。

頭に、商品・資本の市場や原料の供給地を求め、海と陸を経由し世界のいたるところに進出した。18世紀後半、イギリスの海洋探検家クックは3回にわたって太平洋を探検した。第1次航海（1768～71）でタヒチ島・ニュージーランド・オーストラリア東岸を、第2次航海（1772～75）では南極圏に到達し、第3次航海（1776～79）ではタスマニア島・ニュージーランド・タヒチを経てハワイに至り、さらに北上して北極海の一部に入った。さらに陸ではイギリスはアフリカを縦断し、フランスはアフリカを横断し、ロシアはシベリアを横断して太平洋に進出した。

19世紀にはいると、北極や南極を除き、探検航海や沿岸の調査によって世界の輪郭はほぼ正確に描かれるようになった。日本でも高橋景保がイギリスの世界図を基本に『新訂万国全図』（1810）を作成し、オーストラリアやニュージーランドをほぼ正しく記載し、地球の詳細が広く認識されるようになった。そして19世紀央以降、かねて喜望峰にかわるヨーロッパ・アジアルートとして注目されていた北極圏航路の調査や南極圏の探検も本格化し、世界を一体化した空間とする認識が確立した。

現代：地球世界の成立と多極化する世界

19世紀末には、ヨーロッパの探検家によりアフリカやアジアの奥地にも探検や植民地開発が進み、地球上の地図の空白はほとんどなくなった。イギリスはスエズ運河を開通させ（1869）、蒸気機関の船舶や鉄道への導入もすすみ、アメリカの大陸横断鉄道の完成（1869）や大西洋・太平洋の定期航路が開通し、ジュール＝ベルヌが『八十日間世界一周』（1872）で描いた世界一周の交通網が実現した。情報も海底ケーブルが敷設されて世界を駆け巡るようになり、通信社のロイターはロンドンに事務所を開き、電信通信網で集めた情報を世界に速報として配信した。こうして人・モノ・金・情報が地球上のすべての地域で一体化して動く地球世界が成立した。20世紀にはいるとアメリカによってパナマ運河が建設され大西洋と太平洋が結ば

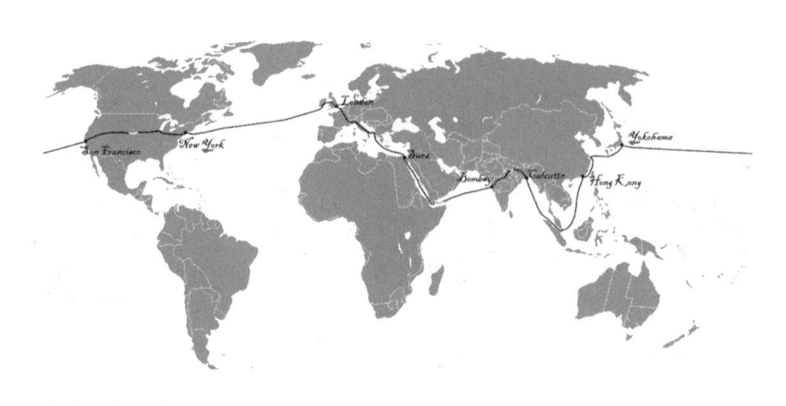

れた（1914）。

ロンドン・スエズ間	蒸気鉄道と蒸気客船	7日
スエズ・ボンベイ間	蒸気客船	13日
ボンベイ・カルカッタ間	蒸気鉄道	3日
カルカッタ・香港間	蒸気客船	13日
香港・横浜間	蒸気客船	6日
横浜・サンフランシスコ間	蒸気客船	22日
サンフランシスコ・ニューヨーク間	蒸気鉄道	7日
ニューヨーク・ロンドン間	蒸気客船	9日

80日間世界一周のルート（1872）

19世紀末から20世紀にかけての欧米の経済力が世界を圧倒した。1870年、欧米は人口2.3億人・ＧＤＰ4680億ドルとなり、人口ではアジアに及ばないものの、ＧＤＰで初めてアジアを追い越した。20世紀にはいり、第一次大戦直前の1913年には、アジア6800億ドル、欧米1兆4200億ドルとなり、アジアの2倍を超える規模に達した。そして、第二次大戦終了直後の1950年には、アジア9800億ドル、欧米2兆8600億ドルとアジアの3倍に拡大した。この間、アメリカが台頭し、1950年、アメリカ一国で世界のＧＤＰの4分の1以上を占め、単独でヨーロッパＧＤＰも上回る水準に達した。そして西欧文明の中核として世界の覇権を握り、第一次・第二次の二つの世界大戦の主役となった。

1870年から1950年にかけ世界の人口は倍増した。特にヨーロッパの都市で人口集中がすすみ、1850年の百万都市はロンドンとパリだけであったが、1890年にはドイツ帝国の首都ベルリン、ロシアのサンクトペテロブルグ、オーストリアのウィーンが加わった。アメリカの人口は1870年以降急増し、1920年代初頭、ニューヨークがロンドンを抜いて世界で最大の都市となり、その都市圏の人口は、1930年、人類史上初めて1000万人を超えた。

二つの大戦と冷戦が終結した20世紀末には、地球上の人・モノの移動の高速化と大容量化が実現した。海上輸送の中心をなる船舶はディーゼルエンジンを搭載し太平洋や大西洋を横断し、また空路では航空機はジェットエンジンを搭載しノンストップ地球一周を実現した。そして、高速道路の建設がすすみ自動車が陸路交通の中心となった。電子･半導体、コンピュータなどの新技術と光ファイバ、衛星や無線による携帯電話などデジタル通信技術が進展して、新たな国際間通信網（インターネット）が実現し、カネや情報の瞬時の伝達が可能となった。

こうした交通や通信のインフラをもとに世界経済のグローバル化がすすみ、地球経済にも大きな変化がうまれた。21世記、2000年時点のＧＤＰはアジア13兆7600億ドル、ヨーロッパ7兆4300億ドル、アメリカ７兆9400億ドルとなった。アジア経済が発展し、人口も36億人、1950年時点の2.4倍、世界の半数以上を占めるに至った。アジア経済は、日本を筆頭に中国・インド、韓国・台湾、東南アジア諸国の急速な経済成長によって、アメリカと統合ヨーロッパ（ＥＵ）との合計のＧＤＰとほぼ均衡するレベルに達した。アジアの人口も中国やインドで人口集中がすすみ、インドネシアのジャカルタやフィリピンのマニラなどが著しい増加をみせた。

アジア諸国が経済力を高め、アメリカやヨーロッパの力が相対的に低下する「多極化する世界」が姿をあらわした。さらに、アメリカを追って中国がＧＤＰ世界第二位の経済大国として急速に台頭し、大航海時代以降、約500年にわたった欧米主導による世界の形成が、いよいよ転換期にあることも明らかになった。

2　世界史要約

前節で、古代・中世・近世・近代・現代の５つに時代区分し、人類の誕生から地球世界が成立する世界史の構図を明らかにした。本節では　５区分の世界のなかで展開した政治・経済・社会・文化の歴史、時代の大きな分岐点となった軍事と戦いの歴史、そして近世以降、急速に発展した科学技術の歴史について要約する。

古代：人類の登場、文明の誕生、そして地域世界の成立

（4世紀頃まで）

人類の登場と文明の誕生

人類の始まりは、800～500万年前のアフリカに出現した猿人（アウストラロピテクス）である。約180万年前には原人と呼ばれる人類が現れ、50万年前にはアジアやヨーロッパに広がった。この時代は、氷期と比較的温暖な間氷期が繰り返し（地質年代の更新世）、打製の石器、動物の骨や角を用いた道具、火の使用などが確認され、野外や洞窟に住みながら群社会を形成し埋葬も始まったとされる。

20万年前、現生人類の直接の祖先である新人（ホモサピエンス）が中央アフリカに誕生した。彼らは投げやりや弓矢、銛や釣針を使用し狩猟や魚労の獲物による獲得経済を営み、洞窟の壁などに動物や狩猟の絵を描いた。打製石器が用いられ、考古学では、この時代を旧石器時代と呼んでいる。

1万年前になると寒冷の時代が終わり、地球は温暖化し陸地はほぼ現在の姿になった（地質年代の完新世）。動植物はその数を増し、人類は、各地の自然環境に適応し自力で食料を生産した。最初の農耕・牧

畜は、地中海東岸からイラク北部やイラン西部にかけての地帯で、ここには野生の麦類や野生のヤギ・羊・豚などが存在し、前9000年頃には麦の栽培や食肉用の家畜の飼育されるようになった。そして、土器・織物・煉瓦が作られ、人々の集落がうまれ定住がはじまった。獲得経済を脱し、新たに農耕・牧畜による生産経済の時代に入った。考古学では、石器を磨いて機能を高めた新石器を用いたことに着目し、新石器時代と呼んでいる。この新石器時代の始まりのころから、人類はそれぞれの地方の気候や風土に適応しながら身体の特徴がはっきりとあらわれ、コーカソイド（白人人種）、ネグロイド（黒人人種）、モンゴロイド（黄色人種）などに分化したとされる。

初期の農耕は自然による雨が頼りであり集落も小規模であったが、やがて大河を利用する灌漑農法にすすむと生産力が高まり人口も増加した。大河の治水や灌漑は多数の人々の協力が必要なため、集落の規模も大きくなり、やがて都市が形成され、社会も複雑になり貧富や強弱の差もうまれた。

前3500年ころ西アジアで青銅器が作られ、強力な武器や道具に使用されると社会はさらに変化をとげた。生産にかかわりのない神官や戦士の貴族階級が登場し、その中から王がうまれて一般の平民を支配し、征服された人々は奴隷となり人間に階級がうまれた。そして神殿を中心に城壁をめぐらした都市国家となった。そこでは、神殿や王への貢納や交易の記録に用いた記録から文字が発達した。人類は、都市をつくり、石器を脱して金属器を発明し、文字を使用する文明をうみだした。

前3000年ころまでに、水や運搬に恵まれた乾燥地帯の大河流域に大規模な灌漑農耕や交易が発達し、中東のチグリス・ユーフラテス川流域のメソポタミア文明、北アフリカのナイル川流域のエジプト文明、インドのインダス川流域のインダス文明、中国の黄河・長江流域の中国文明が成立した（４大文明）。

地域世界の成立

４つの文明の周辺には、それぞれの性格をもつ地域世界が成立していった。

オリエントの世界

前3000年頃、メソポタミア（現在のイラク周辺）やエジプトを核とする東地中海沿岸や西アジアなどに広がるオリエント世界が形成された。

エジプトではナイル川の定期的氾濫によって肥沃な耕地がもたらされ、前4000年頃から多数の小部族国家（ノモス）が形成されていたが、前3000年頃になると王（ファラオ）による統一国家が樹立され、神聖文字や太陽暦が使用された。

メソポタミア各地では前3000年頃、シュメール人の都市国家が誕生し楔形文字や青銅器をもつ文明が生まれた。これらを統一したアムル人はバビロン王朝を建設し、前1800年頃には諸民族の統一的支配すべく「目には目を、歯には歯を」の刑法をもつハンムラビ法典を制定し、オリエント諸国の法典編纂の先駆けとなった。このころ、小アジアのヒッタイトでは鉄の使用が始まった。

前1200年頃の地中海域ではフェニキア人が海上交易で栄え、シリア内陸部の諸都市ではアラム人が中継貿易に活躍した。また、パレスティナのヘブライ人（ユダヤ人）は圧迫を受けながらも、唯一神ヤハウェを信仰し自らを選民とし、のちにキリスト教の母体となるユダヤ教を成立させた。

前8世紀前半、北メソポタミアに興ったアッシリアがオリエントの全域を統一したが、アッシリアは前7世紀には滅亡し、前6世紀になるとペルシャ（イラン）人によるアケメネス朝が建ち、ダイオレス王の時代にオリエントの統一に成功した。しかしこの専制国家は、前5世紀にギリシャに破れ、前4世紀アレクサンドロス大王によって滅ぼされた。

ギリシャとヘレニズムの世界

前3000年頃、ギリシャと小アジアの間の多島海では、盛んな交易をもとに青銅器をもつエーゲ文明が花開いた。前1000年頃には、ギリシャがオリエントの文明やエーゲ文明をうけつぎ、都市国家・ポリスを建て、自由な市民による直接民主政をしいた。

ギリシャの文化はポリス共同体のなかで政治的・社会的自由を享受する人々によって育まれ、何よりも人間的で明るく合理性を重んじソクラテス、プラトン、アリストテレスなどの哲学がうまれ、その後のヨーロッパ思想の礎となった。ギリシャはイランのアケメネス朝ペルシャを破り（ペルシャ戦争)、東地中海一帯を支配する帝国として発展したが、アテネやスパルタなどのポリス間の戦いから衰退へと向かった（ペロポネソス戦争)。

アリストテレス（前384 ~前22）: 万学の祖と言われる

前4世紀頃ギリシャ北方のマケドニアにアレクサンドロス大王が登場し、ギリシャを破り（カイロネイアの戦い)、大軍を率いてエジプト・ペルシャ・そしてインドのインダス川流域にまで遠征した。これらの地ではギリシャとオリエントの伝統が融合したヘレニズムの世界が形成され、大王の遠征から、1世紀のローマによる地中海統一まで約300年間続いた。この間イランでは前3世紀にパルティアが建ち、3世紀にはゾロアスター教を掲げるササン朝が建った。

ヘレニズムの文化は君主や富者の保護によって華麗さ繊細さを増し、哲学や思想もポリス的なギリシャ人の民族意識の枠を離れ、民族・国家を超えた世界市民的な性格を強めた。ヘレニズムの文化は西方のローマにも伝わり、東方のインドの文化や中国の文化に影響を与えた。

ローマの世界

前6世紀末、西地中海のイタリア半島中部にラテン人による王政都市国家ローマが興った。貴族は異民族の王を追放し共和政※1を樹立した。貴族と平民は厳しく区別され、国政の運営は、貴族出身の二人の執政官（コンスル）と多数の議員をもつ元老院が担った。やがて国防の主力をなす重装歩兵の平民が国政に進出し、前5～前3世紀にかけては一部の有力平民と貴族が支配層を占めた。

前3世紀前半、ローマは半島を統一し、西地中海のフェニキア人の植民都市カルタゴを三度にわたる戦争で滅ぼした（ポエニ戦争）。さらに東地中海にも進出してヘレニズム世界を支配下におき、前1世紀後半には地中海世界を征服した。こうしたなかで、発展の礎となった有力者の大土地所有制のもとで働く奴隷の力が強まり、共和制の基盤である多くの中小農民は離農し無産市民へと転落した。そして市民へ土地を与えるグラックス兄弟の土地改革が失敗に終わると、有力者や奴隷の反乱が相次いだ。

前1世紀央、この内乱の続くなか、これまでの共和制の伝統を破り、カサエル、ボンベイウス、グラックスの有力三者による政治同盟（三頭政治）を経てカサエルが、改革の先頭に立った。彼はガリア（西ヨーロッパ）を平定し、前1世紀後半には地中海周辺からヨー

※1　古代ローマや中世のヨーロッパの都市国家では元首がいない政治体制を共和制国家と呼んだが、18世紀後半のアメリカ独立やフランス革命を経ると、国民の選挙によって国家元首を選ぶ政体を意味するようになり君主制への反対概念となった。

ロッパへと領土を広げ、独裁体制のなかで改革をすすめローマの発展の基礎を固めた。

前1世紀末、カサエルが暗殺されると、この危機をおさめたオクタウィアヌスが引き継ぎ、1世紀、地中海世界を統一し、初のローマ皇帝につきアウグストゥス（尊厳者）の称号をうけた。その後の５人の皇帝が統治した期間（五賢帝の時代）を中心に、前1世紀末から2世紀後半の約200年間は繁栄と平和が続きトラヤネス帝の時代にメソポタミアをおさえ帝国領が最大となった。各地にローマ風の都市が建設され、属州民にもローマ市民権が与えられ「ローマの平和」（パックス・ロマーナ）を誇った。

2世紀末になるとローマはゲルマン人の領内定住や東のササン朝ペルシャの圧力をうけ衰退の時代に向かった。3世紀後半には軍人を皇帝として擁立し、3世紀末のディオクレティアヌス帝は専制君主制を敷いて帝国を四分割して帝国の再建をはかり、さらに4世紀のコンスタンティヌス帝は再び帝国を統一し特に東方域の統治を強化すべく都をコンスタンチノープル（ビザンティウム）に移した。そして、4世紀末にはゲルマン民族のローマ領侵入が本格化し、帝国の一元的支配を困難とみたテオドシウス帝が東ローマ帝国と西ローマ帝国に二分したが、圧力はさらに強まり、5世紀末西ローマ帝国は滅亡した。

ローマの世界で成立した最重要な遺産はキリスト教であろう。始祖イエスは、人の身分や貧富の別をこえた神の愛と、その神を信ずるものへ救いを説き、ローマ服属民の反抗の旗印として広がっていった。3世紀後半の大迫害を経て、コンスタンティヌス帝がキリスト教を公認し（ミラノ勅令）、4世紀末にはテオドシウス帝が国教に定め、ヨーロッパ世界の統一的宗教としての基礎が確立した。

特にローマ人は法律、暦、土木・建築など実用的文化の領域で大きな才能を発揮し、国家の統治の基礎を確立した。特にローマ法は前5世紀の十二表法以来、2～3世紀初頭にかけて学問として確立し、その後のヨーロッパ統治の基本となった。

キリスト像

インドの世界・東南アジアの世界

前2300～前1700年頃、北西インドのインダス川流域に都市文明が興った。前1500年頃には中央アジアからアーリヤ人が進出し、彼らは半農半牧の生活を営みながら定住し、神々への賛歌と祭式をもつインド最古の聖典ヴェーダを編纂した。前1000年頃になると、先住民ドラヴィダ系民族と混淆しつつ肥沃な東のガンジス川流域に進出した。そしてバラモン（祭祀階級）を先頭に、クシャトリア（王族・戦士階級）、ヴァイシャ（庶民階級）、シャードラ（奉仕者階級）の四つの身分をもつヴァルナ制（カースト）の社会を形成し、ヴェーダを教典におくバラモン教が広まった。

前6世紀ころガンジス川流域にマガタ国が興った。王や戦士の力がバラモンに勝るようになり、バラモンの権威やヴァルナによる差別を否定する新しい思想がおこった。その一つが仏教であり、ガウタマ＝シッダールタ（ブッダ）はすべての人間の平等を説いた。そして、前4世紀後半には、インド最初の統一国家であるマウリア朝が建ち、アショーカ王は仏教を保護し統治の理想として掲げた。

1世紀には、西北インドにイラン系のクシャーナ朝が建ち、2世紀のカニシカ王の時代に最盛期をむかえた。この時代の仏教は北西インドで万人の救済を理想とする大乗仏教に発展し、ガンダーラ地方ではヘレニズム世界がもつギリシャ・ローマの彫刻の影響を受け、は

ガウタマ＝シッダールタ：仏教の開祖

じめて仏像が作られた。そしてチベットから中国・朝鮮半島、日本などのアジアの広範な地域に伝搬していった。

4世紀にはグプタ朝が興り北インドの大半を統一したが、5世紀には中央アジアの遊牧民エフタルの侵入をうけ衰えた。グプタ朝はインド古典文化の黄金時代であり、宮廷を中心にサンスクリット語

ヒンドゥー教のブラフマー神（中央）と神妃サラスワティー（右）

による文学が栄えた。そしてバラモン教を骨格に、そこに様々な民間信仰が混淆し、その儀礼、制度・慣習などを定めたヒンドゥー教が勢いを強め、仏教をしのぎ支配者や民衆の間で広がっていった。

東南アジアは東シナ海とインド洋を結ぶ東西交通の接点であり、インドと中国の二つ世界の影響を受けた。インドからはヒンドゥー教や仏教の影響を受け、1～2世紀にかけてメコン川下流に扶南が興り、半島東側に住むベトナムは漢の武帝により征服されて中国の影響下におかれていたが、チャンパー国として独立した。

東アジアの世界

前5000年ごろまでに、中国の肥沃な黄河の流域で農耕を中心とする文明がうまれ、前1600年頃には殷・周などの大都市が成立し、血縁を中心とする封建社会が形成された。北の草原地帯では、前9世紀頃から青銅器製の馬具や武具をもった遊牧騎馬民族が勢力を強め、前6世紀頃には南ロシアの草原をスキタイが支配し、東部の草原では匈奴が勢力を伸ばした。

中国では王を頂点とする大規模な政治権力が各地にうまれ、前8世紀ころ、有力な諸侯が相争う春秋・戦国時代にはいった。この時代には血縁より個人の実力や能力が勝り、孔子が『論語』を著すなど、儒家・道家・法家など多様な社会思想がうまれ（諸子百家）、商業も発展し青銅の貨幣が作られた。

孔子（前551頃～前479）：儒家の祖

前3世紀、戦国の時代を秦が統一し（秦、前221～前206）、王をこえる天下唯一の統治者に「皇帝」の称号を用いた。中国初の皇帝となった始皇帝は法家の思想をもとに支配地の行政を郡や県に区分し、そこに実力者を配置する郡県制をとり文字や貨幣を統一した。

秦は短命に終わり、その後に建った漢は、前漢と後漢をあわせ、400年以上続く大帝国に発展した（漢、前202～220）。漢民族による中央集権制の官僚国家を構築し、儒家による教えを政治の骨格とし、孔子の仁義の道を実践し上下秩序の弁別を唱え、支配者の徳によって天下を治める徳治主義をとった。そして朝鮮、ベトナム、西域などの周辺国を「属国」とし、交易の制度として、ものにあこがれる国に施しをなす「朝貢」の形式を取り入れた。内陸アジアのモンゴル高原から南ロシアにかけての草原地帯の遊牧民が中国北部へ侵入を始めると、前漢の武帝は北方騎馬遊牧民の匈奴などと戦い、中央アジアを征服し、東西を結ぶオアシスの道を開いた。2世紀末、漢は宗教結社太平道が指導する農民反乱（黄巾の乱、184）によって滅亡した。

3世紀、中国は華北の魏、江南の呉、四川の蜀による三国が分立し、やがて魏が蜀を滅ぼして晋を建て、晋が呉を滅ぼし中国を統一した。4世紀には、北方からは騎馬民族が華北に侵入し、遊牧民と漢民族の国家が乱立する時代となり（五胡十六国の時代、304～439）、この間、朝鮮半島で高句麗・新羅・百済の三国が並立するなど周辺諸国も激動がつづいた。日本も邪馬台国の卑弥呼が魏に使いを送るなど、中国の諸王朝と朝貢関係を結び国家制度や漢字など中国の文化をとりいれた。

南北アメリカの世界

前1200年頃から、15世紀末からの大航海時代によってポルトガルやスペインが進出するまで、南北アメリカの地勢や気候風土のうえに、独自の宗教や生活様式など文化が形成された。メキシコ中央高原では、前1000年頃からオルメカ文明やテノチティトランなどの都市文明が栄え、前500年頃には巨大な神殿やピラミッドがそびえ立つマヤ文明が興った。南アメリカでは、前1000年頃からペルーやボリビアで独自のチャピン文化やナスカ文化がうまれ、15世紀央から約100年の間はインカ帝国が威容を誇った。

軍事と戦い：槍・弓矢をもつ重装歩兵と戦車

農耕社会が成立すると、産物を狙って略奪行為を行なう集団が現れ、武器には狩猟用に用いた槍や弓矢を用い、軍の先駆けとなった。青銅器や鉄器の時代になると金属加工技術が発達し殺傷力が強まった。古代の農耕社会を基盤とする都市国家や帝国では、軍の中核は鎧と盾で身を固め槍や剣を装備した重装歩兵が主力となり、戦況の情報伝達には狼煙が使われた。

紀元前7世紀頃、古代ギリシャの軍団は重装歩兵が数列の横隊となって長槍を並べて突進するもので機動力や柔軟性に弱点があり、古代ローマの軍団は投石機や投槍で敵の隊形を崩し最後に刀剣を手にして戦った。

中東から地中海沿岸で覇権をめぐる戦いがうまれた。ギリシャはアケメネス朝ペルシャの大軍を退け（ペルシャ戦争、前500～前449）、その後、ポリス間の主導権をめぐってスパルタと戦った（ペロポネス戦争、前431～前404）。このポリス間の戦いで疲弊したギリシャは衰退に向かい、北方に台頭したマケドニアのアレクサンドロス大王に征服された（カイロネイア戦争、前338）。

イタリア半島に興った都市国家ローマは北アフリカの都市カルタゴを破り（ポエニ戦争、前264）、前1世紀地中海を統一し世界の大帝国となったが､3世紀後半には東方のササン朝ペルシャと戦ってローマ皇帝が捕虜となるなど、その後衰退への道をたどった（エデッサの戦い、260）。

東アジア世界でも戦いが繰り返された（春秋時代：前8～前5世紀、戦国時代：前5～前3世紀）。春秋時代には青銅器で武装し戦車にのった貴族が主力となり、戦国時代には人民を大量に動員し鉄器で武装した歩兵が主力になった。後漢の末、曹操は孫権と劉備の連合軍と争い（赤壁の戦い、208）、以降、魏・呉・蜀の三国分立の時代となった。

4世紀には、中央アジアの遊牧民が馬の品種改良や馬具によって機動力や突撃力を高め、中国への侵入を試み、遊牧民と農耕の漢民族との戦う時代に突入した（五胡十六国の時代、304 ～ 439）。ヨーロッパでも馬を戦車（チャリオット）を牽引するための騎兵がうまれ、騎兵の育成には時間を要し同盟関係を構築した遊牧民の協力を得たとされる。

戦いに勝利すべく、戦争を客観的な記録として残す軍事史家や、戦争に勝つための方法を研究する軍事学者が現れた。前6世紀、中国の軍事学者に孫子は、戦争と政治の関係、戦術、諜報などに関する優れた著作を残し、前5世紀のギリシャの歴史家トゥキディデスがペロポネソス戦争の本質を追求するなど、戦いの研究が盛んになった。

中世：地域世界の再編と拡大

—ヨーロッパ・東アジア・イスラーム世界の形成—
(5 ～ 15 世紀頃まで)

ヨーロッパ世界

西ヨーロッパ世界

西ローマ帝国の領内にはゲルマン民族が侵入し、5世紀前半には、イベリア半島の西ゴート、ブリタニアのアングロサクソン、カルタゴのヴァンダルなどの諸国家が建国された。そして5世紀末、西ローマ帝国が滅亡すると、6世紀の北イタリアにローマ教皇をいだくランゴバルト王国が建国され、7世紀にはゲルマン諸国家のなかでフランク王国が台頭した。

8世紀には、アラビア半島からのイスラーム勢力が北アフリカを経由してイベリア半島に侵入して西ゴートを滅ぼし、ウマイヤ朝を建

バチカンにあるローマ・カトリックの総本山のサンピエトロ大聖堂

国し、さらにピレネー山脈を越えてヨーロッパへ侵入したフランク王国はこれを撃退してキリスト教の地を守った。8世後半フランク王国でカール大帝が王位につき、ランゴバルト王国を滅ぼすなど、地中海から北海、さらにピレネー山脈からエルベ川まで版図を広げた。9世紀カール大帝はローマ教皇から「ローマ皇帝」の戴冠（たいかん）をうけ、西ローマ帝国後継者の地位を確立した。以後、この地にはローマ・カトリックの教会が広がり、教会と荘園の領主・農奴の主従関係を骨格とするキリスト教封建社会が形成されていった。

9～11世紀にかけて、北ヨーロッパからノルマン人の大移動が始まり（ヴァイキング）、ヨーロッパの再編が進んだ。フランク王国は、カール大帝の三人の王子により、西・中部・東の三国に分割された（ヴェルダン条約・843、メルセン条約・870）。西フランクにはノルマンディー公国（911）が成立して後にカペー朝（987～1328）が続き、中部フランクはローマ教皇の地としてイタリアとなり、そして東フランクはローマ帝国の帝位を引き継ぐ神聖ローマ帝国(962～1806)となった。イギリスではデーン朝が征服されノルマン朝（1066～1154）が建った。こうして今日のフランス・イタリア・ドイツそしてイギリスの西ヨーロッパの原型ができあがった。

荘園下の農村では耕地の三分割利用（三圃制）や農機具の発達によって生産力が高まり、人口が増加し商工業が発展した。キリスト教は神の恩寵を訴えて社会に深く浸透し、ローマ教皇は聖職者の叙任権をめぐって王権に勝り力を強めた（叙任権闘争・1076、カノッサの屈辱・1077）。11世紀末教皇権は頂点に達した。そしてイスラームのセルジュク朝によって聖地イエルサレムが陥落すると、ローマ教皇はビザンツ帝国の要請を受けて聖地奪還を目指す十字軍（第一回・1096～第7回・1270）を派遣した。

13世紀初頭の第4回十字軍になると、ヴェネツィア商人が中心となり経済的利益が優先され、コンスタンチノープルを占領するなど十字軍運動の変質が始まった。ヨーロッパの商工業も十字軍運動によって東方との交易や文化の交流がすすみ一段の発展をみせた。市民の地位が高まり「都市の空気は自由にする」というドイツ中世の諺のように人間の自由が重視され都市の自治がすすんだ。イギリスでは王権制約の動きがうまれ（マグナカルタ、1215）、神聖ローマ帝国内では通商の都市同盟（ハンザ同盟、1241）が成立して諸領邦が力を強め王権空位の事態となった（大空位時代、1256～73）。そしてイギリスやフランスでは王と貴族・聖職者に加えて新たに都市代表などの市民が参加する身分制議会がうまれた（英・模範議会・1295、仏・三部会・1302）。

14世紀のヨーロッパは寒冷化や黒死病の流行によって社会が動揺する危機をむかえた。王権が伸張し、十字軍運動の失敗が明かになって教皇の力は弱まり、教皇は王の監視下におかれた（アヴィニョン捕囚、1309～77）。さらに英・仏領主による海峡を挟んだ土地所有の戦いが始まり（英仏百年戦争、1339～1453）、また黒死病などで人口が減少し農民の地位が高まった。領主が没落しカトリック教会も分裂する事態となりヨーロッパの封建社会は崩壊にむかった。経済力を高めた都市民は自由を求め、教皇にかわって王権への支持を明らかにした。そしてイタリアでは宗教の束縛から人間の自由を見直す「ルネサンス」運動が始まった。

15世紀には諸国の王権が強まり、イベリア半島のスペインは、11世紀から続くイスラーム勢力の半島追放に成功した（レコンキスタ、1492）。さらに航海技術の発達をうけ、海外にキリスト教の拡大と富の獲得を求めた。オスマン帝国が抑える地中海をさけ、ポルトガルが大西洋を南下してインドに達し、スペインは西に向かってアメリカ大陸を発見するなど（1492)、「大航海時代」の幕を開けた。

東ヨーロッパ：ビザンツ世界

6世紀ヨーロッパの東側では東ローマ帝国をうけついでユスティニアヌス帝が即位し、ローマの文化を引き継ぎ、首都コンスタンティノポリスの旧名ビザンティオンにちなみビザンツを名乗る帝国が誕生した。ビザンツ皇帝はキリスト教東方正教会（ギリシャ正教）を興し、キリストの代理者として国を治めコンスタンチノープル総主教の任免権を手にした。

6世紀後半、ビザンツは一時的に地中海世界支配の回復に成功したが、東方イランのササン朝ペルシャとの抗争、北方からのスラヴ人の侵入をうけ、7世紀にはイスラーム勢力の侵入も始まり、領土の縮小がすすんだ。8世紀には、教会の聖像崇拝の禁止と破壊運動（聖像禁止令）がおこり、神をめぐりローマ教会との対立が深まった。

9～11世紀なると、東方正教とギリシャの文化がバルカン半島のセルビア人やトルコ系遊牧民のブルガール人、さらには黒海の北方のキエフ公国などのスラヴ民族へと拡大した。首都コンスタンチノープルは東西交易で繁栄しビザンツ文化は頂点をむかえた。ビザ

ビザンチン帝国・テッサロニキ8世紀建立のアギア・ソフィア聖堂

ンツ世界は古代ギリシャ文化の伝統を西欧世界やイスラーム世界に伝え、同時に西欧世界をイスラーム世界から守る壁としての役割も果たした。

11世紀央、東方正教会は聖像禁止の問題、教皇の地位、教会の典礼をめぐり激しい対立が続くローマ・カトリック教会と「相互破門」し関係を絶った。このころにはバルカン半島でスラヴ人の自立の動きが強まり、中央アジアから小アジアに南下したイスラームのセルジュク朝にも圧迫され、帝国は不振に陥った。11世紀末にはセルジュク朝の攻撃によってイエルサレムを失ってローマ教皇に十字軍の派遣を要請した。さらに13世紀の第4回十字軍で首都を征服されるなどして衰退し、15世紀央、イスラームのオスマン帝国に滅ぼされた。そしてロシア・モスクワ大公国（1462～1505）のイヴァン3世がビザンツ最後の皇帝の姪と再婚しビザンツ帝国の伝統と紋章を引き継いだ。

東アジア世界：中国

5～6世紀の中国は、長江の南と北に漢民族の二つの王朝が対立する時代となった（南北朝の時代、439～589）。北の文化が南に広がり江南の開発がすすんだ。豪族が門閥を形成して貴族となり、儒教とならんで中国社会の精神的基盤をなす道教が成立した。

6世紀末、こうした貴族に支えられ隋（581～618）が中国統一に成功した。隋は短命に終わり、7世紀初頭には唐（618～907）が建った。唐は中央集権制をとり、三省六部の体制、律（刑法）・令（行政法）の法制を整備し、農民に土地を与え税と兵役を負わせる均田制を施行した。周辺では朝鮮半島を新羅（676～935）が統一し、北方では渤海（698～926）が建国された。首都長安（現西安）にはイランや中央アジア・朝鮮・日本などの商人や使節・留学生が集まり、国際色豊かな文化が花開き、漢字、儒教、仏教、道教が隆盛し東アジア全域に広がった。

8世紀央、西でイスラームのアッバース朝との戦いが勃発し、地方で軍人（節度使）による反乱おこった（安史の乱、755～63)。社会不安が高まるなか均田制が崩壊し、新たに土地の私有を認める両税法が施行され、大土地の所有を実現した新興地主層が台頭した。9世紀末、農民の大反乱が勃発し（黄巣の乱、875～884)、10世紀初頭、唐は滅びた。

10世紀から12世紀前半にかけては、武力を前面に諸国が分立するなか（五代十国の時代、907～979)、漢民族の宋（960～1279）が諸国統一に成功した。宋は、武力をおさえ、皇帝の権力と官僚制度を基盤とする君主独裁制となり、文人官僚を登用する科挙の制度が整備された。大土地所有者と小作農（佃戸・でんこ）を基盤とする封建社会が形成され、各種産業の発達や貨幣経済の浸透にともない大商人が勃興した。そして社会の指導原理として儒学を基礎に宋学（朱子学）が発展し、庶民の文化も隆盛するなど、漢民族を中心とする中国社会の基礎が固まった。

このころには周辺の民族の動きが活発となり、モンゴル高原に遼（916～1125）が建国され、そして朝鮮で高麗（918～1392）が成立し、ベトナムも独立した。宋は北方に興った金（1115～1234）に滅ぼされた。

13世紀後半、北方のモンゴル族が勢力を強め、遼や金をしのいでモンゴル高原を統一し、ユーラシア大陸を席巻した。モンゴルは東の中国から西のヨーロッパやアラビア半島におよぶユーラシアの大

朱熹（1130～1200）：儒学の体系化・朱子学の創始者

帝国に発展し、その広大な領域はチンギス＝ハンの子孫が分割して支配し、他の民族を積極的に登用しイスラームを保護するなど宗教にも寛容な政策をとった。モンゴル族は宋を滅ぼし中国の王朝として元（1271～1368）を建てた。モンゴル族の支配のもと、元では漢民族社会の伝統は維持され都市と農村の発展が続いた。東西の文物が流入し首都の大都は繁栄を極めマルコ＝ポーロなどが訪れた。

14世紀後半、元は白蓮教徒の乱によって滅ぼされたが（紅巾の乱、1361～66）、反乱軍の首領・朱元璋（洪武帝）が漢民族の王朝である明（1368～1644）を建て、南京に首都をおいた。朝鮮半島でも高麗に代わり朝鮮王国（1392～1910）が建った。明は中国伝統の皇帝による中央集権的専制政治を復活させ、周辺諸国と朝貢関係を築き貿易の独占的管理を断行した（勘合貿易）。農村は、110戸を単位とする里甲制によって経営し社会の安定化をはかった。

15世紀の初め、明の三代皇帝となった永楽帝は都を南京から北京に移し、江南と北京を結ぶ運河を整え、長城を修築して北方民族の南下に備えた。そしてモンゴル高原・ベトナム北部などに領土を拡大し、鄭和に南海遠征を命じて朝貢世界をひろげるなど、明は全盛期をむかえた。

イスラーム世界

7世紀、アラビア半島でメッカの商人ムハンマドによって、多神教と偶像崇拝を否定しアッラーを唯一神とするイスラームが誕生した。ムハンマドは迫害を逃れてメディナに移住し、この地にイスラーム教徒（ムスリム）の共同体（ウンマ）を建設した（ヒジュラ、622）。

ムハンマドの没後は、後継者のカリフ（最高指導者）のもと大規模な征服活動が展開された（正統カリフ時代、632～661）。7世紀央、シリアのダマスカスを都とするウマイヤ朝（661～750）が建ち、中央アジア、北アフリカからイベリア半島へと勢力を広げた。支配地の統治は征服者のアラブ人が握り、アラビア語を共通語とし、 国家財政の基礎として地租（ハラージュ）と人頭税（ジズヤ）を住民に負担

カーバ神殿：メッカ（マッカ）のイスラーム聖殿

させた（アラブ帝国）。

8世紀央にはバグダッドを都とするアッバース朝（750～1258）が建ち、これまでのウマイヤ朝のアラブ人の優越性を否定し、全てのイスラーム教徒の平等を認めるイスラーム法（シャリーア）を制定し、イスラーム政治の骨格を固めた（イスラーム帝国）。こうしたなかウマイア勢力は、北アフリカを経由してイベリア半島の侵入し、後ウマイヤ朝（756～1031）を建てた。

9世紀以降、イスラーム勢力は各地に進出し、イラン東部のブハラにサーマーン朝（875～999）、エジプトにファーティマ朝（909～1171）、西イランにブワイフ朝（932～1062）、アフガニスタンにカズナ朝（962～1186）、中央アジアにカラハン朝（1050～1132）が建った。多くの王朝では、カリフにかわって部族を統治するスルタンがイスラーム法執行の権限を握り、各地の統治を軍人に委ね土地の徴税権を与えた（イクター制）。

11世紀には中央アジアのトルコ人によってセルジュク朝（1038～1194）が興った。セルジュク朝は西アジアに進出してバグダードを占領し、ブワイフ朝を倒し、さらに小アジアでキリスト教のビザンツ軍を破り、その後聖地イエルサレムを陥落させた。聖地を失ったヨーロッパのキリスト教世界は、11～13世紀にかけ、聖地奪還をめざす十字軍運動を展開した。

12世紀央アフガニスタンではゴール朝（1148～1215）が建った。12世紀末に北インドに侵入し、13世紀にデリー＝スルタン朝（1206～1526）が樹立され、イスラームはヒンドゥー教徒の間にも浸透していった。エジプトではアイユーブ朝（1169～1250）がキリスト教勢力から聖地を守り、その後奴隷軍人によるマムルーク朝（1250～1517）が建った。

13～14世紀のアラビア半島、西アジア・中央アジアから南ロシアにかけては遊牧民のモンゴル族が広く進出し、ハン王国を建ててイスラームを保護しながら支配した。そして中国に建国された元ともつながり、東西の交流が活発化し中央アジアを中心にモンゴル族が支配する「タタールの平和」が実現した。14世紀後半にはモンゴルの後継としてトルコ系のティムール朝（1370～1507）が建ち、サマルカンドを首都とし、周辺のハン王国を統一してイスラームの保護をおしすすめ中央アジアの経済・文化の地位を高めた。

15世紀央、小アジアでイスラームを掲げるトルコ系のオスマン朝が急速に勢力を強め、ビザンツ帝国を滅ぼした。そして、首都コンスタンチノーブルをイスタンブルと改称し、ヨーロッパに進出してバルカン半島などを支配する大帝国に成長した（オスマン帝国、1299～1922）。

イスラームの拡大には商人が大きな役割を果たした。西アフリカでは、8世紀ころからベルベル人がイスラーム化してサハラ砂漠以南にも浸透し、その後マリ王国（1240～1473）につづきソンガイ王国（1464～1591）が建った。東アフリカでもインド・アラビアとの貿易や商人の渡来によりイスラーム化がすすみ、東南アジア（現マレーシア・インドネシアなど）では15世紀にマラッカ王国が建った。

イスラーム世界の諸都市ではモスクを中心に市場やアラビア語の学校が建設され、カリフやスルタンの保護のもとで宮廷文化が花開き、神学校（マラドサ）が設立され、コーランの解釈学・神学・法学・歴史学など「アラブの学問」が発達した。

地域世界の交流

ヨーロッパ、アジア、中東の三つの地域世界の動脈となったのはユーラシア大陸の東西を結ぶ、草原（ステップ）の道、オアシスの道（シルクロード）、そして海の道の三系統の道である。

草原の道はモンゴル高原からアルタイ山麓を経て南ロシアに至る草原地帯（ステップ）を横断する道である。紀元前からスキタイや匈奴などの遊牧系民族が馬によって東西の物資を運び、文化を交流する道ともなり、5～6世紀にはイラン系のエフタル、13世紀にはモンゴルなどが騎馬戦術によって農耕民の社会を征服する道となった。

草原の道の南には、乾燥地帯のオアシスを結ぶ道が通じた。この道はラクダによる隊商の往来する道であり、中央部の天山山脈を境に天山北路と天山南路に分かれる。古くから東から西へ絹が、南から北に向かってインドの仏教が、西から東にはゾロアスター教・ネストリウス派キリスト教（景教）やイスラームが伝わった。東から西へは、8世紀央の唐とアッバース朝のタラス湖畔の戦いで製紙法が伝わった。

海の道も早くから利用されてきた。既に1～2世紀から、インド半島の諸港を中継地とし東アジアと西アジア・ヨーロッパを結ぶ航路ができていたが、8世紀にはイスラーム商人による往来が増え、アフリカ東海岸から東南アジア・中国の港には彼らの居住地が形成された。

11世紀以降、ヨーロッパの十字軍運動やモンゴル帝国の出現によって三つの道による地域世界のつながりが加速した。十字軍のエルサレム遠征によって地中海を経由したヨーロッパ世界とイスラーム世界・アジア世界との交流が進んだ。イタリア商人は十字軍の武器・食料などの物資輸送を担い、帰途にはレヴァント（東地中海沿岸）のイスラーム商人からアジアの香辛料などを入手して莫大な利益を手にし、イスラーム世界やアジア世界のもつ知識や技術をヨーロッパへ伝えた。

13世紀に興ったモンゴル帝国はユーラシア大陸を制覇し、駅伝制などによって内陸アジアの交通網を整備した。東アジアとヨーロッパとの間の交流が高まり、マルコ＝ポーロなどがイタリアから中央アジアを経由して中国に向かった。この時期にはヨーロッパ・中東とアジアをジャンク船やダウ船で結ぶ海の道による交流も本格化し、イスラーム商人はインド・東南アジアの香辛料や中国の絹織物・陶磁器をインド商人や中国商人から仕入れ、アラビア半島アデン・紅海・エジプトのカイロを経てアレクサンドリアのイタリア商人に売却するルートを開発した。こうして13世紀央にはヨーロッパ・中近東・インド・中国など多くの地域が一つの商品流通網のなかに組み込まれた。

15世紀にはいると明の永楽帝はイスラーム教徒の宦官・鄭和に命じ、大艦隊を東シナ海からインド洋、さらにアフリカ東海岸にまで遠征させ、明の威勢を東南アジア世界に誇示し南海諸国から朝貢を促した。

軍事と戦い：騎馬と船による戦域拡大と火器の登場

5世紀ころになると、馬の品種改良や馬具が普及し、重装歩兵にかわり重装騎兵が登場した。ヨーロッパなど農耕が主力に社会では、騎兵には幼少期からの馬上の訓練が必要となることから、それを担う騎士階級が誕生した。

7世紀後半、イスラームを掲げるアラブの勢力は遊牧民の騎馬部隊を前面に中央アジア、アフリカ、イベリア半島へと領域を広げた。ユーラシアの西側では、8世紀、フランク王国が重装騎兵隊と歩兵によってイスラーム勢力の侵入を阻止してキリスト教ヨーロッパ世界を守り（トッール・ポワティエの戦い、732)、東側ではアッバース朝軍が3万の兵で固める唐の内陸アジアのタラス城を攻め落とした（タラス河畔の戦い、751)。

9～11世紀には北ヨーロッパからノルマン人が船を操り、海に沿い、また川をのぼってヨーロッパ各地に進出し（ヴァイキング）、その地に定住しヨーロッパの国々を再編へと導いた。ノルマン人のボートの特徴は、外洋では帆走し、水深の浅い河川ではオールで漕ぎ、そして陸上では船を曳き人力で移動できる機動力にあった。

11世紀末からの7回にわたる十字軍では、正規軍に加え少年十字軍や騎士団が参加し、セルジュク朝などアラブ側から奪った征服地に「十字軍の国家」を建設した。しかし、12世紀後半、イスラーム側はエジプトのアイユーブ朝のサラディンがイエルサレムを奪還し(1187)、十字軍へ反撃の狼煙をあげた。

13世紀、中央アジアからおこったモンゴル遊牧民は、数千キロを移動し、傷ついた馬を交替させながら戦う遊牧部族の騎兵軍事集団（千戸制）を組織しユーラシア大陸を席巻した。チンギス・ハンは西に遠征して領域を広げ（征西、1219～1223)、その死後もオゴタイ、バトゥ、フラグなど一族による領土拡大路線により、東の金を滅ぼし中国・華北を支配し、さらにロシアなど東ヨーロッパにまで攻め込み（ワールシュタットの戦い、1241)、西アジアに侵入しバグダードを占領してアッバース朝を滅ぼした(1258)。さらにフビライは中国を征服して元をたて、中国や朝鮮の兵を用いて海を渡り日本に遠征した（元寇、1274・1281)。

14～15世紀のヨーロッパ·英仏百年戦争（1337～1453）では、イギリスのロングボウ（長弓）部隊が「飛び道具」の威力によってフランス軍の騎士部隊を圧倒し、この「飛び道具」の登場は火器の先駆けとなった。イスラームのオスマン帝国はキリスト教のヨーロッパに向かい（ニコポリスの戦い、1396)、東ではティムール帝国に敗北したものの（アンカラの戦い、1402)、再興して再度ヨーロッパに向かい（ヴァルナの戦い、1444)、鉄砲と大砲（ウルヴァン砲）の火器によって要塞コンスタンチノーブルを攻略し（1453)、ビンザンツ帝国を滅ぼした。

15世紀央以降、陸では騎兵にかわって火器をもつ歩兵の戦いが主力となり、海では火器と羅針盤による帆船の航海技術によって戦力の高度化と要員の広域展開が実現し大航海時代の幕が開いた。

近世：新大陸発見・開拓と地域世界のつながり

―アジアの隆盛、新たなヨーロッパの形成と世界進出―

(16世紀～18世紀前半)

アジアの隆盛

16～17世紀、アジアでは西のオスマン帝国とサファヴィー朝、南のインドのムガル帝国と、共にイスラームを奉じる大国が展開し、また東の中国では、漢民族の明につづき、17世紀には北方民族の清が建った。

13世紀末トルコ半島に興ったオスマン朝は、15世紀央ビザンツ帝国を破り、イスタンブル（旧コンスタンチノーブル）を首都とする多民族・多宗教・多言語の大帝国に成長した。統治の基礎をイスラーム法におき、スルタンを頂点とする中央集権体制を構築した。イスラーム教徒を中心にしつつも民族や宗教を問わない能力重視の人材登用を実践し、キリスト教徒やユダヤ教徒などの異教徒については宗教共同体（ミッレト）によって管理し、納税、服装や行動、儀式などに厳しい制限をつけながら共存を図った。

16世紀にはイスラームの聖地メッカとメディナをおさえ、ヨーロッパのハンガリーを征服し、さらにフランスと同盟してハプスブルク家オーストリアの首都ウィーンに軍を進めるなど（第一次ウィーン包囲、1529）、アジア・アフリカ・ヨーロッパの三大陸に版図を広げた。首都イスタンブルは世界の十字路として繁栄し、巨大ドームと尖塔（ミナレット）をもつトルコ式モスクが誕生し、新たな公用語であるオスマン語による文学や宮廷の生活の様子を描いた細密画など華やかな文化が花開いた（トルコ・イスラーム文化）。

イラン高原では、16世紀初頭、ティムール朝滅亡後にサファヴィー朝（1501～1736）が建った。イスラームの神秘主義教団を母体とし

タージマハル（1631）：ムガル帝国第5代皇帝シャー・ジャハーンが建設

て「十二イマーム」のシーア派を国教としスンニ派の隣国オスマン帝国と一線を画した。16世紀末にはペルシャ湾の交易ルートを手中に治め、首都イスファハーンを建設し「世界の半分」といわれるほどの繁栄をみせた。

インドにもイスラーム国家が建った。16世紀前半、ティムール朝の子孫によってムガル帝国（1526～1858）が成立し中央集権体制を構築し北インド全域を支配した。中央アジアのトルコ系や西アジアのイラン系などの人的資源をとりこみ、イスラーム色を弱めて在地のヒンドゥーの人々と共存する多民族国家を形成した。アグラに首都を定め、タージマハルなどヒンドゥーとイスラームが融合した文化がうまれた（インド・イスラーム文化）。

東アジアの大国・明には16世紀にはいりポルトガル商人が来航し、国際交易によって商工業が発展し、さらにスペインが運んだ南米の銀や日本の銀によって銀経済が形成された（一条便法）。宣教師が来航してキリスト教の布教が始まり、ヨーロッパの知識や科学技術が伝わった。こうしたなか、北からの遊牧民族の侵入や、南の沿岸には日本の海賊（倭寇）が来襲し、明は治安の維持に苦しんだ（北虜南倭）。

17世紀にはいると、北方の女真族が力を強めて後金を建て、その後国号を清（1616～1912）と改め明を滅ぼした。清は、明の諸制度を受け継いで強力な専制国家を構築し、中央アジア・モンゴル・チベットなど東アジアの大半を領有する大帝国として約300年にわたり君臨した。特に、康熙帝・雍正帝・乾隆帝の三皇帝が治める17世紀央から18世紀前半にかけての約130年間は最盛を極め人口が増加し商工業が繁栄した。清は拡大した領土を、中国内地・東北地方・台湾を直轄地とし、内外モンゴル・新疆・青海・チベットを藩部として理藩院を設置して管理し、そして、朝鮮・ベトナム・タイ・ミャンマーを朝貢する属国として待遇した。習慣や宗教には干渉せず、チベット仏教のダライ＝ラマなどの宗教指導者を保護厚遇した。

17世紀後半から18世紀前半になると、これらアジアの大国の動揺が始まった。オスマン帝国は第二次ウィーン包囲（1683）に失敗し、ハンガリーを失ってヨーロッパからの撤退が始まり、南下を目指すロシアからの圧力が強まり、さらにアラビア半島ではイスラーム復興を叫ぶワッハーブ運動による帝国離反の動きが強まった。サファヴィー朝はアフガン人によるイスファファン占領や旧騎馬軍勢力（キジルバシュ）の勢力復活によって滅亡した。ムガル帝国ではヒンドゥー教徒の離反やデカン高原のマラター族の反抗が強まり、この間隙をつきイギリスが攻勢を強めた。

清は、東方進出を強めるロシアの圧力をうけて国境画定に動き（ネルチンスク条約・1689、キャフタ条約・1728）、税制を簡素化して地丁銀制を定めた。そしてヨーロッパとは、生糸・陶磁器・茶などの中国特産品の交易を広州商人に限定し（公行）、キリスト教を全面禁止するなど一線を画した。

16～17世紀のアジアは政治や経済が安定し文化も繁栄し、ヨーロッパ商人はアジアの通商圏に参入したに過ぎなかった。しかし、17世紀後半から18世紀にかけ、これらアジアの大国が緩みをみせると、18世紀後半には、これをついたイギリスやフランスは自国製品の市場として開放への圧力を強めた。

新たなヨーロッパの形成

16世紀、ヨーロッパでは中世キリスト教封建社会を脱し、ルネサンス・宗教改革・大航海時代の三つの激流による新たな社会の形成が始まった。

ルネサンスは最盛期をむかえフィレンツェではレオナルド＝ダ＝ビンチ、ミケランジェロ、ラファエロなどが活躍した。ルネサンスはヨーロッパ全域に広がり、ネーデルランドのエラスムスが教会の腐敗に批判をあびせ、フランスのモンテーニュ、イギリスではトマス・モアやシェークスピアがヒューマニズムの精神を描き出した。

ドイツ（神聖ローマ帝国）からは宗教改革がうまれた。ルターはキリスト教会の退廃を指摘し、聖書から直接に神の言葉を学べと訴えた。そして神と人間の間に介在する教会を否定し（宗教改革、1517）、ルターへの支持を訴える農民の戦いが広がっていった（ドイツ農民戦争、1524）。さらにフランスのカルヴァンは「魂が救われるか否かはあらかじめ神によって定められている」とし（予定説）、道徳的規律や禁欲的な職業倫理を求める改革派教会を立ち上げ、勃興する市民に広く受け入れられていった（プロテスタント）。

ルター（1483～1546）

イギリスではヘンリ8世の離婚問題をきっかけにローマ教皇庁と手を切り、議会の支持のもとプロテスタントの教義を受けいれたイギリス国教会を打ち立てた（1534）。こうしたなか、カトリック側も対抗して教会制度を見直し、スペインのロヨラやザビエルはイエズス会を設立した（1540）。

こうしたなかイタリアでは、ヴェネツィア・フィレンツェ・ミラノ・教皇領など経済力を持つ中小諸国家が分立し抗争を続けた。フランスのヴァロア家や神聖ローマ帝国を継承したハプスブルグ家がこれに介入し、イタリアでの覇権をめぐる激しい戦いとなった。さらにスペインやイギリスも介入し、この機をねらってヨーロッパ進出をねらうイスラームのオスマン帝国がヴァロア家と結びハプスブルグ家のウィーンを包囲する動きもうまれた。この戦いはヴァロア家とハプスブルグ両家の消耗で終わりをむかえたが、この間、数々の外交や交渉が展開し、政治権力としての国家の存在や国家間に形成されるべき秩序の在り方が強く意識されるようになった（イタリア戦争、1521～59）。

16世紀後半、ルター派の権利が公式に認められた（ドイツ・アウクスブルクの宗教和議、1555）。イギリスではエリザベス1世が即位しプロテスタントの教義によって国教会の体制を確立し（統一法、1559）、絶対王政を確立し、さらにドレークの世界一周（1577）やスペインの無敵艦隊撃破（1588）によって海洋帝国の基礎を築いた。大陸ではイタリア戦争後の混乱のなか、各地でプロテスタントとカトリック教徒の間で、宗教を旗印に政治や社会の主導権をめぐる争いが始まった。16世紀末、プロテスタントのオランダがスペインに挑んで独立を果たし（1581）、フランスではブルボン朝がたちアンリ4世はユグノー（プロテスタント）に礼拝の自由を認めた（ナントの王令、1598）。

17世紀前半、ヨーロッパは寒冷期に入りペストが流行し、各地で社会的危機がうまれた（17世紀ヨーロッパの危機）。ドイツではプロテスタント諸侯とカトリック諸侯による宗教戦争が30年間にわたり継続した（三十年戦争、1618～48）。疲弊した両者は、イタリア戦争の経験をふまえ、一定の領域内で政治権力と宗教の自由の行使を認める「主権国家」の概念と国家の関係の基礎を定めて戦いを終結させ、同時にオランダの独立を承認した（ウエストファリア条約、1648）。フランスではルイ14世（1643～1715）が中央集権化を断行し、貴族層の反乱を鎮圧し（フロンドの乱、1648）、絶対王政を確立させた。イギリスでは国王が王権神授説をとなえ専制政治を強化すると議会が抗議し、プロテスタントの革命が勃発し王は処刑され共和制となった（ピューリタン革命、1640～60）。

17世紀後半から18世紀前半にかけて、ヨーロッパ各国はウエストファリア条約をうけ、主権国家の建設に動いた。イギリスは海洋進出の先頭に立つべく海洋の自由を掲げて三次にわたる戦いでオランダを破り（英蘭戦争、1652～79）、ピューリタン革命後の王政復古にとどめをさす名誉革命（1689）によって、「国王は君臨すれども統治せず」とする立憲王政を確立した。フランスのルイ14世は王権神授説を掲げて「朕は国家なり」としてヴェルサイユ宮殿を造営するなど繁栄を謳歌し、ナントの王令を廃止し（1685）、カトリックを掲げた。そして英仏両国はオランダと共に神聖ローマ帝国、スペイン、オーストリアの王位継承に介入しヨーロッパの覇権を争った。

後進の周辺諸国でも新国家建設の動きが相次いだ。ロシアではロマノフ王朝（1613～1917）が建ち、ギリシャ正教の擁護者を任じるピョートル1世（1682～1725）が農奴制強化と西欧流改革を断行した。また農場領主（ユンカー）が要職を占めるドイツではプロイセン（1701～1871）が成立してフリードリヒ大王（1701～13）がたち、またハプスブルグ家の皇帝が治めるオーストリアではマリア=テレジア女王（1740～80）がたって、それぞれ絶対王政を確立し新国家建設と領土拡大に動いた（啓蒙君主）。

18世紀央、プロイセンとオーストリアの領土戦争が勃発すると、対外進出を強める英仏露の三国がこの戦いに介入し、イギリスがプロシャを、フランスとロシアがオーストリアを支援しヨーロッパ全域の戦へと発展した。この戦いはイギリスとプロイセンが勝利し（七年戦争、1756）、イギリスは植民地帝国として繁栄をつづけ、プロイセンの地位も高まった。

ヨーロッパの世界進出

16世紀にはいると、15世紀末アメリカ大陸の発見やインド航路の開拓から始まった大航海時代は大きな展開をみせた。イベリア半島のポルトガルとスペインはキリスト教の布教と富を求め繁栄するアジアに向かった。ポルトガルはインドからマラッカを経て中国や日本に達し、スペインは中央・南アメリカを征服し、フェリペ二世の時代には太平洋を横断してマニラに拠点をおき（1571)、大西洋・太平洋をつなぐ世界帝国へと発展した。

ヨーロッパは南アメリア原産のジャガイモやトマトなどの食料を持ち帰って食糧事情を好転させ、さらに南アメリカに馬を運んで農地を開拓した。ヨーロッパとアジアの交易では、ヨーロッパはアジアに高価な胡椒などの香辛料や宝石・絹・陶磁器・茶などを求めたが、富めるアジアの側にはヨーロッパに求める物産はなく、交易の対価にはスペインがアメリカ大陸で採掘した銀や日本産出の銀が用いられた。銀は広く世界の共通通貨へと発展し、ヨーロッパでは大量の銀が出回り物価の下落を招いた（価格革命)。

17世紀にはいると、オランダ、イギリス、さらにブルボン朝が成立したフランスの三国が、相次いで東インド会社を設立し（1600～1604)、東南アジア、中国などに向かい交易の拡大を目指した。この三国は北アメリカにも進出し、イギリスはヴァージニアに植民地を建設し（1607)、その後、メイフラワー号による移民を始め、ボストンを建設し、この地にハーバード大学を設立した。フランスもカナダのケベックに植民地を作り（1604)、オランダは現ニューヨークの地にニューアムステルダムと名づけた植民地を建設し（1625)、南アメリカにもケープ植民地を建設した（1652)。そしてロシアは、シベリアを横断して太平洋岸に到達し（1638)、さらに黒竜江に向かい清と衝突した（1652)。

17世後半から18世紀央にかけ、各国は主権国家として財政を強化すべく、国内産業の育成とともに貿易の黒字を重んじる重商主義を掲げ世界進出を強化した。イギリスはオランダからニューアムステルダムを奪い、さらに東部海岸に13の植民地を建設し、ルイ14世のフランスも海軍力を強化した。英仏両国は王位継承や七年戦争などヨーロッパ域内で戦いながら、19世紀初頭まで、北アメリアやインドで激しい植民地獲得争いを展開した（第二次英仏百年戦争、1689～1815)。ロシアも黒海を南下しオスマン帝国に挑み、東方のシベリアで中国との国境を画定し、首都ペロブルグを新たに建設し遷都した(1712)。

17～18世紀の南北アメリカでは大農園（プランテーション）の建設がすすんだ。不足する労働力としてアフリカの黒人奴隷を求め、ヨーロッパ・アフリカ・アメリカをつなぐ大西洋三角貿易が盛んになった。ヨーロッパの奴隷商人は火器や金物・ガラス細工などの商品をアフリカに持ち込み、アフリカでは商品を部族間の対立を利用して勝った部族の得た捕虜と交換し、捕虜をアメリカへ運び奴隷として大農園に売りこんだ。そして、空になった船にはアメリカの砂糖、たばこ、コーヒーなどの農産物を積み込みヨーロッパに持ち帰った。

科学の誕生と啓蒙思想

16～17世紀にかけ、コペルニクス（1413～1543）や、ケプラー（1571～1630）は天体の観測によって従来の天動説を否定して地動説を主張し、ガリレオ（1564～1642）は振り子の実験などから運動論を立ち上げた。こうして、これまでのアリストテレス的自然観、すなわち「物体の動きは本来あるべき場所に戻ろうとする自発的な運動で目的を実現する過程である」とする運動観が見直され、新たに「観察や実験などの経験的方法に基づいて実証された法則的知識」による自然観が有力となった。

さらに英のベーコン（1561～1626）は「知は力なり」と述べ、個々の事例から共通事項を見いだして普遍的法則を導く帰納法を唱え（イギリス経験論)、仏のデカルト（1596～1650）は「我思う、故に我あ

ニュートン（1643～1727）

り」と述べ、これ以上疑いえないとき確実な認識が生れるとし、理性を重視し普遍的法則から個々の事例を説明する演繹法を唱えた（大陸合理論）。そしてニュートン（1643～1727）が物体間の万有引力など物にはたらく力の法則を数学によって記述すると（古典力学）、観測や実験による経験と数学の合理性を基礎におく学問がおこり、新たな学問として「科学」と呼ばれるようになった（科学革命）。

科学革命は思想面にも大きな変化を与えた。英のジョン＝ロック（1632～1704）はニュートンの自然界の法則を人間世界にもあてはめた。ロックは物体の一つ一つが重力をもつように、人間一人一人が生命・自由・財産の生まれながらの権利（自然権）をもち、国家は国民の自然権を保障すべく作られたのであって政府は国民による信託的権力であると述べ、さらに国家がこの信託義務を怠る場合、国民は政府を廃止する権利を有すると主張した。

18世紀前半、絶対王政下のフランスでは、ニュートンやロックの影響を受けて王の権力に疑念を抱き、理性の光で社会の矛盾を照らしだし、国内の不合理不平等な政治制度を批判する啓蒙思想がうまれた。モンテスキュー（1689～1755）は『法の精神』によって三権の分立を訴え、ルソー（1712～1778）は『社会契約論』を著して自由で平等な個人を重視し、アメリカ独立革命やフランス革命などその後の民主主義運動の基礎となった。

軍事と戦い：火器と帆船による戦いの世界化

16世紀になるとビザンツの要塞コンスタンチノープルの陥落（1453）によって、大砲や銃など火器の威力が明らかとなり、歩兵を軸に騎兵と砲兵が支援する三兵戦術が主流となった。イタリア戦争では、大砲が改良されて威力を増し（ウルヴァァン砲）、城壁も背の高い石積みにかわって背の低い厚みのある土塁となった。宗教戦争においても火器が主力となった（シュマルカンデ戦争・1546～47、ユグノー戦争・1562～98、オランダ独立戦争・1568～1609、ドイツ三十年戦争・1618～48）。火器は日本にも伝わり、織田信長はポルトガルの伝えた鉄砲を改良・量産して、武田の騎馬軍団を破り（長篠の戦い、1575）、以降、日本でも火器が戦いの主力となった

大航海時代、ヨーロッパ勢力は帆船によって兵員を輸送し、火器を現地に持ち込み、その威力によって中南米の古代の帝国を簡単に滅亡させた（コルテスのメキシコ征服・1521、ピサロのペルー征服・1533）。手漕ぎガレー船による戦いはオスマン帝国とスペインが戦った地中海・レバント沖の海戦（1571）で終わりをつげた。16世紀末、イギリス海軍は小型帆船に長距離砲を実装して機動力を高めスペインの無敵艦隊「アルマダ」を撃破した（1588）。

こうして17世紀から18世紀にかけ、世界の軍事的覇権は陸の中央アジアやイスラーム世界の騎馬勢力から、火器を主力とし帆船で世界の海を制する勢力へと転換した。そして、複数の帆をもち火器を実装した大型・高速船の開発がすすんだ。英蘭戦争でイギリスは100門の大砲を装着した海の砲台といわれた軍艦を建造するなど一段と海軍を強化し、小型戦艦を主力とするオランダを破った（1652～74）。陸でも火器が主力となり、ヨーロッパの各国は王位継承や国家間の対立に介入し戦った（ファルツ戦争・1688～97、スペイン継承戦争・1701～13、オーストリア継承戦争・1740～48、

七年戦争·1756～63)。ロマノフ朝のロシアも陸軍力を強化して領地拡大に動き、東方のシベリアに向かい、西ではスェーデンを破り（北方戦争、1700～21)、南下してサファヴィー朝に侵入し（1722)、オスマン帝国と戦った(1736)。

特にイギリスと、その後海軍力を強化したフランスは世界で植民地獲得を争った（第二次英仏百年戦争、1688～1815)。17世紀末から18世紀央にかけて、北アメリカで戦い（ウィリアム王戦争·1689～97、アン女王戦争·1702～13、ジョージ王戦争·1744～48、フレンチ＝インディアン戦争·1755～63)、そしてインドで戦った（カーナティック戦争·1744～61、プラッシーの戦い·1757)。この一連の戦いにはイギリスが勝利したが、その要因として、ウィリアム3世がイングランド銀行を設立し（1694)、国債発行による戦費獲得に成功した点が指摘されている。国債の購入はイギリスの勝利と植民地の拡大による利益還元を求める地主や産業資本家が主力となり、国内外で資本家と戦争との関わりが強まった。

近代：世界の一体化

—欧米近代社会の構築とアジアの動揺—

（18世紀後半～19世紀末）

18世紀後半にうまれた「イギリスの産業革命」と「アメリカ独立革命·フランス革命の民主革命」、この二つの革命によって、これまでの貴族や大地主などの支配階級に支えられた絶対王政は倒され、市民の政治的·経済的自由を基礎とする国民国家が成立し産業の発達によって資本主義社会が形成された。欧米世界は生産力を高め、商品市場としてアジアやアフリカなど世界のすみずみに進出し、現地に大きな動揺を与えた。こうして欧米主導による「世界の一体化」が進んだ。

欧米の二つの革命と近代国家の成立

産業革命

産業革命は機械技術・動力革命などの一連の技術革新であり、既存の綿工業や製鉄業において「機械制大工業による量産化と低価格化」が実現し、農業中心の社会を工業化社会へ転換させた。

産業革命がイギリスに成立した理由として、織物業の発展や大西洋三角貿易のよる資本の蓄積､植民地獲得による海外市場の成長､囲い込み運動など農業の効率化による安価な労働力の出現、石炭・鉄鉱石などが近郊資源として存在、そしてニュートン以来の科学や技術の発達などが指摘されている。

産業の発展にともなって資本主義が発展し、市民の生活は豊かになった。産業革命期の経済思想はアダム＝スミスの『国富論』(1775)に代表されよう。彼は国家が経済活動に干渉する重商主義を批判し、利己心の発揮こそが経済活動の源であり「自由放任」が経済を繁栄させ、個人の利己的活動は「神の見えざる手」によって社会全体として調整されると主張した。そして自由経済を基盤とし、私的所有を前提に生産活動に投資し、そこから利潤を得る「産業資本主義」が成立した。一方こうしたなかで、児童労働・長時間労働などの労働問題や人口集中による都市問題など新たな社会問題も表面化していった。

アメリカ独立革命

アメリカ独立革命は、植民地での戦争や七年戦争などによって財政悪化した本国イギリスの植民地アメリカへの課税強化が発端となった（1765)。植民地側は「代表なくして課税なし」として、本国への政治参加と自治を主張して激しく反発した。さらにイギリスが東インド会社の財政難に対処すべく、アメリカ植民地の茶貿易の独占権を東インド会社に付与すると（茶法)、これに反対するボストン市民は東インド会社の船を襲撃し茶の積荷を海中に投棄した（ボストン茶会事件、1773)。イギリスがボストン港を封鎖して締め付けると、植民地側はフィラデルフィアで植民地を集めた大陸会議を開きイギリス製品のボイコットを決定のうえ植民地同盟を結成し、両者の緊張は一段と高まった。

イギリス軍がマサチューセッツ州のレキシントンの武器庫に軍を派遣すると警戒していた植民地人が銃撃し、アメリカ独立戦争が始まった(1775～83)。トマス=ペインは『コモン=センス』(1776)を著し、アメリカの共和制樹立を訴え植民地に広く浸透し独立の気運が高揚した。ヴァージニア代議会のワシントンが総司令官に就任し、直ちにジェファソンの起草による独立宣言を発し、「万人は全て平等につくられ、造化の神から一定の犯しがたい天賦の権利を与えられた」として、民主主義の理想を高く掲げた(1776)。そして、フランスの支援などをうけた独立軍はイギリスから勝利をかちとり、1783年パリ条約で独立が承認された。アメリカの独立革命は市民が権力をもつ世界初の共和制国家を作り上げた「市民革命」となった。

フランス革命とナポレオン

フランスでも革命が勃発した。18世紀後半のフランスでは身分制と特権による社会の矛盾がいよいよ明らかになった。王家は贅沢にふけり、第一身分の聖職者や第二身分の貴族は免税や領主権などの特権をもち、第三身分のなかでも商業や工業の成功者はブルジョワとして力を得たものの、貧しい農民や都市民衆は取り残され、その格差は極限に達した。

フランス革命は民衆によるバスティーユ監獄の襲撃から始まり、「人間は生まれながらに自由かつ平等な権利をもつ……」で始まる人権宣言を謳いあげた(1789)。この革命は、人間の自由・平等、そして権利を掲げる近代思想の原点となった。

革命は立法議会の設立、共和制宣言、そしてロベスピエールの恐怖政治と揺れ動いた。周辺諸国が対仏大同盟を形成して革命の波及阻止を狙うと(第1回、1793)、穏健派が台頭し、ロベスピエールは処刑され、総裁政府が樹立された(1795)。国民の間で革命への不安と

フランス革命：バスティーユ牢獄襲撃（1789）

社会秩序の安定を求める声が高まるなか、革命派軍人のナポレオンが台頭した。彼はイタリアに遠征しオーストリアに大勝して対仏大同盟を解体させ、さらにエジプト遠征（1798）によってイギリスと地中海で厳しく対峙した。彼の名声は不動のものとなり、軍事クーデタを断行し革命を終結させ統領政府をたてた（1799）。

19世紀に入ると、ナポレオンはフランス銀行設立、第2回対仏大同盟をしいているイギリスとの講和、さらに革命思想による民法典の制定によって国民の支持を高め、国民投票によって皇帝に就任した（1804）。そして第3回対仏大同盟がしかれると、イギリスとの海戦に挑み敗れたものの（トラファルガーの戦い、1805）、大陸ではオーストリアやプロイセンを破って神聖ローマ帝国を滅ぼし（1806）、同時にイギリスを大陸市場から締め出した（大陸封鎖令、1806）。大陸の諸国民の間で反仏感情がみなぎり、特にプロイセンでは哲学者フィヒテがドイツ民族の独立を訴えた。

さらにナポレオンはスペインを占領し、オランダを併合し、大軍を率いてロシア遠征を断行した（1812）。しかしロシアの抵抗によって兵力の大半を失ってしまうと、この敗北をみたヨーロッパ諸国民もナポレオンからの自由解放戦争に立ち上がった（1813）。そして、連合軍はパリを占領しナポレオンを退位に追い込みエルバ島へ追放した（1814）。

南北アメリカでは国家自立の動きが強まった。特にアメリカはナポレオン戦争中に中立政策をとったが、大陸封鎖令に対抗しイギリスがフランスを逆封鎖するとアメリカ自身の貿易が妨害され反英感情が高まり米英間の戦争となった（1812～14）。この戦いはナポレオンの退位によって講和され、これを機にアメリカの国家自立の意識が高まり国内産業育成の動きが強まった。

ウィーン体制と各国の動き

ナポレオンが退位すると、ヨーロッパ諸国はオーストリアの宰相メッテルニヒを中心に、革命以前の王朝と貴族制度に回帰する復古に動いた。王や貴族に挑戦する革命や戦争を防ぐことを目的に、キリスト教精神にもとづく神聖同盟と、軍事同盟である英・露・普・墺による四国同盟を柱とする国際秩序が構築された（ウィーン体制、1815）。こうしたなかエルバ島を脱出したナポレオンは一時的に帝位復帰に成功したが（ナポレオンの100日天下、1815）、再び戦いに敗れ完全に失脚した（ワーテルローの戦い、1815）。

ウィーン体制のもとでも革命の影響は広がり各地で自由主義的な国家体制の構築がすすんだ。ラテンアメリカの植民地では、宗主国スペインがフランスに占領とフランス革命の思想をうけて国家独立の動きが加速し、本国の支配を脱してアルゼンチン、チリ、メキシコ、ペルー、ブラジルなど大西洋を囲む国々が1820年代に次々と独立を果たした（環大西洋革命）。そして、ギリシャもオスマン帝国からの独立に成功した（1829）。

イギリスは産業革命の進展によって自由主義が国民に浸透し、穀物法を廃止するなど保護関税を廃止し自由貿易を掲げ、都市化や社会問題などを改革すべく選挙法を改正して議会を開放し（1932）、さらに工場法を制定するなど労働条件の改善に取り組んだ（1933）。フランスは、産業革命が進展するなか、復古した国王が追放され新たに自由主義者のおすルイ＝フィリップを国王とする立憲君主制国家となった（七月革命、1830）。ベルギーは言語や文化の異なるオランダから独立し（1831）、ドイツでは分立していた諸邦とプロイセンとの間で関税同盟が結ばれた（1833）。

こうしたなか、ヨーロッパでは思想や文化でも新たな動きがうまれた。イギリスやフランスでは貧富の差をうみだす資本主義の競争原理を解決すべく、新たな未来社会の構想として社会主義が叫ばれた。神聖ローマ帝国が崩壊したドイツでは理性重視のフランスの啓蒙思想を見直し、むしろ感情や伝統・歴史・民族文化などを重視するロマン主義が高まった。

アメリカはモンロー宣言（1823）を出し、ヨーロッパに対する不干渉の姿勢を継続した。30年代にはいると産業革命をさらに押しすすめて国力を強化し、インディアンの土地を奪い領土拡張をすすめた。テキサス、オレゴンを獲得し、メキシコと戦ってカリフォルニアを獲得し（1848）、その領土はアパラチアを越え西方に拡大し19世紀中頃には太平洋岸に達した。

ヨーロッパ1848年の革命

19世紀央新たな衝撃がうまれた。七月革命後のフランスでは産業が発展し中小ブルジョワや民衆が選挙権を求めて蜂起し、王政を打倒し社会主義者も参加した共和制政府が成立し男性普通選挙制が実現した（二月革命）。この民衆蜂起はヨーロッパ各地に広がりオーストリアではウィーン体制の中心であるメッテルニヒが亡命し、プロイセンではフランクフルトで国民議会が開かれた。そして自由主義・民族主義・ロマン主義、さらに労働運動を巻き込む大きなうねりとなり、チェコ・ハンガリー・イタリアからポーランド・オランダ・ベルギーにおよびウィーン体制は完全に終止符をうった（ヨーロッパ1848年の革命、1848）。こうしたなか、領域を国境によって定め、そのなかで国民が主権をもち、憲法と議会によって統治する「国民国家」の概念が固まった。

しかし、同年夏までに、この政治的高揚はすべて沈静化した。ドイツでは政治的対立から国民議会が解散し、イタリアの統一運動やハンガリーの独立も挫折した。フランスでは、初の普通選挙の結果、農民の支持する保守派が大勝し、ナポレオンの甥ルイ＝ナポレオンによる帝政が再現した。こうしたなか産業の巨大化とともに資本家と労働者の対立が鋭く対立し、マルクスとエンゲルスは労働者の主導する共産主義社会を訴えた（1948）。

各国の国家建設と世界の一体化

19世紀後半、各国では革命後の国家建設を進めた。イギリスは民主的改革をすすめながら、フランスとの植民地争いに勝利し、ヴィクトリア女王のもとロンドン万国博覧会を開き（1851）、アジアへの道・スエズ運河を開き（1869）、インドでは反乱に乗じてインド帝国として直接統治に成功するなど（1877）、世界の帝国としての繁栄を謳歌した（パクスブリタニカ）。

フランスではルイ・ナポレオンがロンドンに次いでパリ万国博覧会を開き（1855）、国内産業の強化と国内インフラの整備につとめ、海外ではインドシナを押さえ中国へ向かった。帝政がつづくロシアは黒海から地中海進出を狙いオスマン帝国に戦いをしかけ（クリミア戦争、1853）、英仏に阻止されると農奴解放など国内の改革にのりだした。

アメリカは中南米をおさえ、西進して太平洋を越えて日本を開国させた（1853）。その後、奴隷制の綿花栽培を主力とする南部11州と商工業を主力とする北部との内戦が勃発したが、リンカーンが奴隷解放を宣言し、ペンシルベニア州ゲティスバーグの戦いで北部の勝利を決定づけた（南北戦争、1861 ～ 65）。以降、北部産業資本が南部を組み込みながら経済発展が進み、大陸横断鉄道を開通させ（1869）、「金ピカ時代」と呼ばれるアメリカ資本主義の高度成長が始まりヨーロッパからの移民をひきつけた。

プロイセンでは地主貴族（ユンカー）出身のビスマルクが、「鉄と血」を掲げてオーストリアと戦って領土を広げ（普墺戦争、1866）、敗れたオーストリアは民族運動を抱えるハンガリーを別の国家とし形式的に独立させ、一人のハプスブルク家の皇帝をいただく二重国家となった（オーストリア＝ハンガリー帝国、1867～1918）。さらにプロイセンはフランスを挑発して破り（普仏戦争、1870）、ドイツ諸邦を加えてドイツ帝国（1871～1918）となり、プロイセン王がドイツ皇帝として宰相を任命する立憲君主制をとった。敗戦したフランスではルイ・ナポレオンの帝政が崩壊し人民による自治政府を経て共和制が復活した。

こうしたなかヨーロッパでは世界を一体化した国際空間として認識する動きが確立した。新しい文化の創造や科学・産業技術の発展などを目的としロンドンやパリで世界的規模の博覧会が開催され多くの国々が参加した。マルクスらはロンドンで世界最初の労働者の国際組織を結成し共産主義運動の国際的展開をねらい労働者の連帯組織を立ち上げた（第一インタナショナル、1864）。そしてナイティンゲールのクリミア戦争の功績をもとに戦争犠牲者を救援する国際赤十字社が結成され（1864）、国際間に通信を担う電信・郵便の国際電信連合（1865）などが設立された。

アジアの動揺

欧米諸国の圧力

18世紀後半になると、これまで隆盛を誇ったオスマン帝国・ムガル帝国・清などアジアの専制国家に、財政危機、民族対立、農民の反乱などによる国内統治の弛緩が始まった。19世紀にはいると、産業革命によって供給力を高めた欧米諸国は、こうしたアジアを商品や資本の市場、また原料の供給地として位置づけ、蒸気砲艦を先頭に圧力をかけた。イギリスの外交官として清や日本に駐在したオールコックは、この戦略を次のように述べている。

我々の通商は死活的な必要品を供給する。そこで我々は危険や経費を伴わないではないにせよ、至るところで貿易を求める。我々は、我々のたえず増大する要求や生産力に応じるため、たえず拡大する新しい市場をさがす。そして、その市場は主として極東に横たわっているようにみえる。そこで我々は、必然的ではないにしても、おのずとそこへおもむく。我々の第一歩は、条約によって彼らの提供する市場に接近することである。土着権力は、交渉を開始する意向をあまりもっていないので、我々は唯一の効果的な手段――圧力を向け、要求されている貿易にたいするいっさいの権力と便宜を与えるという趣旨の文書を獲得する。

Alcok『The Capital of the Tycoon, Vol.Ⅱ』Newyork 1868, p32（日本開国史・石井訳）

オスマン帝国・ムガル帝国・清などアジア諸国の動揺

アジアの帝国は欧米諸国の圧力をうけ動揺するなか、抵抗する一方で自らの伝統的宗教や思想を基盤としつつ欧米流の政治経済の体制や技術を導入する改革運動をすすめたが、やがて欧米の圧倒的な軍事力の前に屈服していった。

オスマン帝国では、18世紀央にはアラビア半島でワッハーブ王国が興り、18世紀末のナポレオン侵攻後のエジプトではムハンマド・アリーがフランスの援助を受け入れ自立の動きを強め、19世紀前半にはギリシャがフランス革命の影響を受けて民族主義が高揚するなか、英・仏・露の支援をうけて帝国からの独立に成功した（ギリシャ独立戦争、1821～29）。こうしてオスマン帝国の衰退が明らかになると、帝国の地は、バルカン半島・黒海・中東への南下政策をとるロシア、インド・中国への道を確保し世界の自由貿易を掲げるイギリス、エジプトなどアフリカの権益を狙うフランス、さらにバルカン半島に領土的野心を持つオーストリアなど、各国の野望が交錯する抗争の場となった（東方問題）。

オスマン帝国は司法・行政のほか軍事・財政・文化にわたり、西欧をモデルとする近代化計画に着手した（タンジマート、1839～76）。しかし、改革によってイギリスなどの列強に通商権を与えると、帝国内には大量の工業製品が蒸気船で運びこまれて地元産業が崩壊し、アルメニア・ギリシャ・ユダヤなどの民族商人が台頭した。こうしたなか南下したロシアとの戦いが勃発し（クリミア戦争、1853～56）、英・仏の支援を得て勝利したものの巨額の借入れによって財政は破綻し一層の干渉拡大を招くことになった。

インド・ムガル帝国では、18世紀後半以降イギリス東インド会社が民族抗争に乗じ、勢力を拡大した。イギリスはプラッシーの戦い（1757）で対抗するフランスを退け、インド中央のマラター王国を併合するなど、19世紀半ばまでにインド全域へ領土を拡大した。イギリスが大量の綿布を持ち込むと、地元の手織綿布業は壊滅的打撃を受け失業者が都市にあふれた。イギリスが新しい土地税制度を導入するとインドの伝統的村落社会は解体に向い、さらに道路・鉄道・通信・灌漑などインフラの近代化と新たな司法・教育制度を導入すると、インドの伝統的慣習が失われ社会の各層の不満が高まった。

19世紀央、東インド会社のインド人傭兵による反乱が勃発した。これにインド旧支配層や重税と失業に悩む農民・手工業者も加わり、反乱軍はデリーを占拠し、ムガル皇帝を擁立して抵抗した（インド大反乱、1857）。しかし、反乱はイギリスによって鎮圧されムガル帝国は滅亡し、インドはヴィクトリア女王を皇帝とするインド帝国となった（1877）。

清では、18世紀末、農民の窮乏から白蓮教徒による「反清復明」を訴える反乱が勃発した（1796）。清の混乱に乗じ、イギリスは衣料品をインドに送り、インドのアヘンを薬品として中国へ送り、中国の茶と絹をイギリスに送る三角貿易によって中国市場へ食い込んだ。19世紀にはいると、清はアヘンの浸透と銀の流出をうけて輸入禁止とし、アヘンの没収・廃棄措置を断行した。これをみたイギリスは砲艦で威嚇し、沿岸各地を攻撃しながら長江をさかのぼり南京に侵攻し清を屈服させた。そして南京条約を結び東南沿岸５港の開港や領事裁判などを認めさせた（アヘン戦争、1840～43）。さらにイギリスはフランスと共に武力を行使し（アロー戦争、1856）、天津条約と北京条約によって市場を開放させ、調停に加わったロシアも沿海州の領有に成功した。

19世紀央には、アヘン戦争などによる重税や飢饉によって社会不安が高まるなか、洪秀全がキリスト教的結社・拝上帝会を組織して「滅満興漢」を訴え､南京を都とする太平天国と呼ぶ独立国を樹立した（太平天国の乱、1851～64)。この運動は李鴻章などの漢人勢力や外国軍の介入によって鎮圧されたが、これによって清の弱体化と社会の欠陥が明らかになり、清は伝統的文化と制度を維持しつつ西欧流の富国強兵をめざす改革をすすめた（洋務運動、1862～74)。

こうした欧米諸国の圧力は広くアジア全域に展開された。西のカジャール朝イランやアフガニスタンにはロシアとイギリスが、現地の王朝が支配するベトナムやミャンマーなどのインドシナにはイギリスとフランスが、ジャワにはオランダが、そして極東の日本にもアメリカが進出し、圧力をうけた各国は不平等条約を結んだ。

科学と技術：産業革命と国家による科学技術者育成

産業革命はイギリスでうまれた蒸気機関、製鉄法、紡績・織布機の発明・改良など継続的な技術革新である。その起点は16世紀半ばからの薪炭から石炭へのエネルギー利用の転換にあった。燃料・建築用の伐採や牧羊業の発達によって森林の開発が進み木材や薪炭燃料が不足し、家庭・産業用として石炭の利用がすすんだ。18世紀に入ると石炭をさらに炭化した強火力のコークスを使った製鉄法（パドル法）が開発され、石炭採掘の課題であった排水問題はニューコメンによる気圧式蒸気機関よって解決した。そして運河の建設も進んで輸送費が安くなり、石炭と鉄によるイギリス産業発展の基盤が整った。

これをうけ綿工業が発展したが、この理由は植民地インドからの輸入が急増する綿製品の輸入代替と、同時に大衆消費財として世界市場を開拓することにあった。ケイによる飛び杼(ひ)の発明によって織物の大量生産が可能となり、綿糸についてはジェニー紡績機や水力紡績機、さらに両者の長所を併せもつミュール紡績機の開発によって増産を達成した。そしてカートライトの力織機の発明によって織布・紡績の両工程の機械化が達成され、工場制機械工業による大量生産が実現した。その後、アメリカでホイットニーによる綿花から種を取り除く繰綿機が発明されると、イギリスはアメリカ南部植民地での綿花生産によって原綿コストを低下させ、世界の市場に向け低価格の綿製品を量産した。

1709　**ダービーのコークスによる製鉄法**
1712　**ニューコメンの蒸気機関を用水に利用**
1733　**ケイの飛び杼**
1764　**ハーグリーヴスのジェニー紡績機**
1769　**ワットの蒸気機関の改良、アークライトの水力紡績機**
1784　**ワットの複動式蒸気機関**
1785　**カートライトの力織機**
1793　**ホイットニーによる綿花から種を取り除く繰綿機**
1796　**ジェンナー種痘接種**
1807　**フルトン（米）の汽船**
———1810年代：イギリスで機械打ちこわし運動最高潮に達する————
1814　**スティーヴンソンの蒸気機関車の試運転**
1825　**最初の蒸気機関車による鉄道（英ストックトン・ダーリントン案間）**

産業革命はヨーロッパ諸国から北アメリカへと広がり、ワットの複動式蒸気機関が様々な産業の動力として普及し、機械制工場による製品の大量生産が実現した。さらに産業資本の発展が促され、蒸気機関の利用が船舶や鉄道に広がり交通網の革新がすすんだ。こうしたなか、熟練職人や小経営者によって機械への反感から機械打ちこわし運動（ラダイト運動）がうまれ、さらに組織的な労働運動へと発展していった。

こうして産業技術は軍事産業にも広がり、有能な技術者の重要性が認識され、科学や技術は近代国家の建設に不可欠なものと位置づけられた。そして、これまでの知的好奇心によって研究する大学に加え、新たに科学や技術を研究教育する高等教育機関の設立が始まった。18世紀末、パリに設立されたエコール・ポリテクニック（理工科

ロバート・フルトンの開発した外輪蒸気船クラーモント号（1807）

専門学校、1794）はその先駆けであり、ドイツでも19世紀以降、ウィルヘルム2世によって高等工業専門学校が各地に設立された。19世紀央になると教育界や産業界のなかで科学研究者や技術者が新たな職業として認められ、国民の間で科学や技術の研究開発が社会制度の一つとして認識されるようになった。

軍事と戦い：国民軍設立、砲艦の登場と総力戦の始まり

18世紀後半の二つの革命は軍事面でも大きな変革をもたらした。産業革命によって民間技術が飛躍的に向上し兵器の高機能化・高性能化がすすみ、その大量生産によって巨大な軍備が構築された。同時に国民国家の概念が広がると、国家を守るべく、市民を動員する徴兵制によって「国民軍」が結成され、愛国心に訴え、戦争は国民の財産たる国家の領土空間を防衛し、さらに自らの領域を拡大する動きへとつながった。

18世紀後半から19世紀初めのアメリカ独立戦争（1775～83）における英米の戦い、そしてフランス革命時のナポレオンの対仏大同盟を組むヨーロッパ諸国との戦い（ナポレオン戦争、1803～15）は国民軍同士による戦いの始まりとなった。フランスでは、絶対王政期の軍は20万人程度で貴族・志願兵・外人部隊などから構成された国王

の私設部隊であったが、革命後の国民軍は徴兵による動員で兵力が50万人に膨れ上がり、最盛期には150万人に達し、ナポレオンは自国兵士が消耗すると制圧した地の兵力も招集した。

こうしたなか、フランス革命の最中、新たな戦況の通信手段として腕木（うでき）通信が開発された。腕木通信は三本の腕木を操作しその形状によって、さまざまな信号を伝えるもので、いわば機械式の手旗信号の役割を果たした。フランスでは20世紀初頭、電信ネットワークにかわるまでの間、総延長5780キロメートルの腕木通信網を整備した。そして、イギリス、プロイセン、ロシア、スペイン、ポルトガル、エジプト、アルジェリア、インド、南アメリカ、オーストラリア、アメリカと、世界各地で腕木通信網の整備が進められた。

世界を舞台にした英仏の戦いは、フランス革命時の戦い（トラファルガーの戦い・1805、ワーテルローの戦い・1815）で、終わりを告げた（第二次英仏百年戦争、1688 ～ 1815）。17世紀末からの英仏百年間の戦いは二つの革命を生み出す大きな要因となった。イギリスは植民地戦争に勝ち大西洋三角貿易で資本を蓄積し、それは産業革命を導いたが、その後の植民地戦争の負債はアメリカ植民地へ課税として転

フランス革命：バスティーユ牢獄襲撃（1789）

嫁され、アメリカの反発から独立戦争が勃発した。一方、フランスもイギリスとの戦いのなか植民地を広げたが、財政窮乏からルイ16世が重税を課すと中産階級や農民が立ち上がり革命の戦いが勃発した。

19世紀央、英・仏・米など諸国は蒸気船に大砲を実装した砲艦を先頭にたてた軍事的圧力によって、中国やインドなどの市場を獲得し（砲艦外交）、これに反対する現地勢力を力で封じた（アヘン戦争・1840、アロー戦争・1856、インド大反乱・1857）。アメリカのペリーも2隻の蒸気外輪砲艦と2隻の帆走砲艦で圧力を加え、日本開国に成功した（1853）。

19世紀後半には後進のロシア、プロイセン、オーストリアも自国軍備の増強に努め、国民軍による国家の統一や自国領土の拡大に向けた戦いを展開した（クリミア戦争・1853～56、普墺戦争・1866、普仏戦争・1870～71）。アメリカで勃発した南北戦争（1861～65）は南北に分かれた国民軍による内戦であり、地雷、甲鉄艦、鉄条網、塹壕が戦場に登場し、電信、鉄道輸送が威力を発揮する史上初の総力戦となった。アメリア総人口3000万に対し、北部220万、南部106万が動員され、南北で62万の戦死者を出した。強力な軍備をもつ国民軍の戦いは兵士の生命を大量に消耗させることも明らかになった。

現代：地球世界の成立

―帝国主義と世界大戦、冷戦、そして多極化世界の成立―

（19世紀末から）

列強の帝国主義とアジアの動き（19世紀末～1913）

欧米の第二次産業革命と列強の帝国主義

19世紀末、アメリカやドイツを先頭に欧米では、新たに石油・化学・電力・機械などの技術革新によって重化学工業を主体とする第二次産業革命がおこった。こうした国々では、従来の商工業の経営層（ブルジョワ）と労働者の間に、事務や営業・サービスなどを担当しホワイトカラーやサラリーマンと呼ばれる新たな中間層が誕生した。そして、人々によって大都市が形成され、そこでは豊かな消費と音楽・スポーツなど新たな文化を楽しむ大衆社会が実現し、フランスでは「ベルエポック（良き時代）」と呼んだ。

しかし、産業の発展によって供給過剰に陥り、厳しい不況が続いて失業者があふれた。各国は不況脱出と国民軍強化をねらい兵器産業への莫大な投資を実行し、強力な軍事力を築き上げた諸国家が形成された（列強）。そして軍事力を前面に国外に自国産業の経済圏を求めた（帝国主義）。アフリカを分割して自国領土として宣言し（ベルリン会議、1884）、太平洋・カリブ海の島国を占領した。さらにロシアの南下政策、アメリカの中南米・太平洋政策、そして世界の戦略都市を結ぶドイツの３Ｂ政策（ベルリン、ビザンティウム、バグダード）とイギリスの３Ｃ政策（カルカッタ、カイロ、ケープタウン）など、世界進出政策を打ち出した。

19世紀末から20世紀初頭にかけて、列強は民族、経済、安全保障の視点から互いの利益を確保すべく同盟を結んだ（三帝同盟・1873、独墺伊三国同盟・1882、露仏同盟・1891、日英同盟・1902、英仏協商・1904、英仏露協商・1907）。こうしたなか、労働運動もマルクス主義を柱に高揚し、ドイツの社会民主党を先頭に各国の社会主義政党による国際連帯運動に発展した（第二インタナショナル、1889）。

そしてオスマン帝国が衰退し各国の野望が渦巻くバルカン半島では、バルカン諸国が領土拡大を争って一層の不安定化がすすみ（バルカン戦争、1912～13）、その後、独・墺・伊三国同盟を結びゲルマン主義を掲げるオーストリアと英・仏・露の三国協商を結びスラヴ主義を掲げるロシアが支援するセルビアとが鋭く対立し、一発触発の状況に陥った。

アジアの混迷と日本の台頭

19世紀末、英仏など列強はアジアへの進出を強めた。イギリスはインドの支配を固めると清へ進出し、フランスも清と戦いベトナムを奪った（清仏戦争、1884～85）。こうしたなか、極東の日本が新政府を樹立し、欧米列強から自らを守るべく富国強兵に邁進し立憲国家を構築した。そして、大陸との緩衝地として重要な清の属国である朝鮮を開国させ（1876）、その後朝鮮の混乱に乗じて清と争って勝利し（日清戦争、1894～95）、朝鮮を独立国とすることに成功した（韓国）。一方、敗れた清は列強による分割がすすみ、日本流の立憲国家をめざす改革（変法自強運動、1898）も頓挫し混迷が深まった。

20世紀初頭、清では「扶清滅洋」を掲げる宗教結社・義和団の乱が勃発した（1900）。義和団によって北京が占領されると、無力化した清にかわって英・米・独・仏・墺・伊・露それに日本の８ヵ国連合軍が乱を鎮圧し、列強による中国の分割がさらにすすんだ。日本は朝鮮半島へと南下をめざすロシアの脅威に共闘すべく日英同盟を結び（1902）、ロシアと戦って勝利し（日露戦争、1904～05）、さらに韓国を併合し（1910）、南満州鉄道会社を設立するなど中国東北部（満州）へ進出した。そして日本は産業革命を達成して国力を高め列強の一角へと成長した。

極東の小国である日本のロシア勝利は世界に衝撃を与えた。イランの立憲革命（1905）がうまれ、インドでは反英組織の国民会議派やムスリム同盟が結成され（1906）、オスマン帝国では近代化革命（青年トルコ革命、1908）がおこり、そしてメキシコの民主革命に発展した（1910）。中国の孫文が東京で中国同盟会を結成し（1905）、清打倒・共和国建設・貧富の格差解消の三民主義を掲げて革命に立ち上がり中華民国の建国に成功した（辛亥革命、1911）。

二つの世界大戦（1914～45）

第一次世界大戦と戦後の世界

1914年6月、ボスニアの首都サライェヴォで勃発したセビリア青年によるオーストリア皇太子夫妻狙撃事件をきっかけに第一次世界大戦（1914～18）が始まった。オーストリアの三国同盟側とセビリアを支援するロシアの三国協商側の戦いを軸として世界を巻き込む大戦となった。日本は日英同盟をもとに参戦し、イタリアは戦争が始まると三国同盟から離脱し領土問題を抱えるオーストリアに宣戦した。戦線はヨーロッパからアジア・アフリカ・太平洋にまでに拡大し、各国が戦時経済体制を構築する総力戦となった。

大戦は膠着し、ドイツが民間船舶にも攻撃を加える無制限潜水艦作戦を断行し、さらにロシア帝国で革命が勃発してソヴィエト（共産組織）が出現すると（ロシア革命、1917）、アメリカは民主主義の擁護を掲げてドイツに宣戦した（1917）。さらにソヴィエトが和平提案や秘密条約を公表するとアメリカ大統領ウィルソンはロシア共産革命の広がりを阻止すべく、秘密外交の廃止、海洋の自由、民族自決などの大戦終結後の平和構想を掲げた（14か条の平和原則、1918）。

大戦はアメリカの参戦によって協商側有利となり、ソヴィエトはドイツと講和して大戦から離脱した。そして、ドイツでは講和を求める水兵の反乱によって臨時政府が樹立され大戦が終結した（1918）。崩壊したドイツ帝国はドイツ共和国となりヴァイマール憲法が制定された（1919）。ヨーロッパ諸国は戦いに疲弊して国際的地位を失い、革命を成功させたロシアや軍事・経済力を誇示したアメリカの力が強まった。

戦後に国際協調主義のもと国際連盟が設立された（1920）。しかしアメリカは議会に反対で参加せず、英・仏・日・伊が常任理事国となった。平和達成のため、ヨーロッパにヴェルサイユ体制が（1919）、またアジア・太平洋地域にはアメリカの主導でワシントン体制が構築された（1921）。一方、ロシアが周辺国を吸収した共産主義国家ソヴィエト連邦（ソ連）となって警戒が高まり、イタリアではムッソリーニのファシスト内閣が成立した（1922）。そしてドイツの賠償を強く求めるフランスがルール地方を占領する事態もうまれたが（1923）、アメリカのドイツ賠償支援や独仏間の協調外交（ロカルノ条約、1925）によって平和を維持し、ドイツの国際連盟加入が実現した（1926）。

世界で民族自決の動きが加速した。オーストリア＝ハンガリー帝国とロシア帝国の解体によって中欧・東欧の国境線が変わりオーストリアは小さな共和国となり、ハンガリー、ポーランドなど多数の小国家が誕生した。中東では、トルコ、イラン、エジプトなどが独立したが、パレスティナ地域では、大戦中のイギリスやフランスの密約によってシリア、ヨルダン、レバノンなどに人為的な国境が設定され、さらにユダヤ人が新国家建国に動くなど、域内に激しい動揺と対立がうまれた。

アジアでも民族自決の動きが強まった。日本が併合した朝鮮で独立運動が展開し（三・一運動、1919）、中国でも第一次世界大戦中に日本の得たドイツ権益（対中21か条の要求、1915）の返還を求める大抗議活動が展開され（五・四運動、1919）、国民党と共産党が結成された。その後両党は中国統一に向けて共闘し（第一次国共合作､1924）、北部軍閥の掃討（北伐）をすすめたが路線の違いから袂を分った（蔣介石の上海クーデタ、1927）。国民党は北伐に成功し（1928）、共産党は農民によるソヴィエト（共産自治区）を各地に建設した。インドではガンディーの非暴力反英闘争が始まり（1919）、モンゴルが独立し（1924）、ビルマ、インドネシアなどでは共産主義の影響をうけ激しい独立運動がつづいた。

世界恐慌と第二次世界大戦

1929年、アメリカでニューヨーク・ウォール街の株式が暴落し、その衝撃は直ちに、30年代の資本主義世界全域に波及した。世界最大の債権国アメリカの経済破綻は、銀行・企業の倒産、失業の連鎖となり、西半球のアメリカからヨーロッパの工業国、さらにアジアの植民地へと広がり、32年までに世界の工業生産は半減し失業者は5000万人を超えたとされている。

米・英・仏などの持てる国は自国優先の経済圏を確保できたが、独・伊・日の持たざる国は経済圏の拡大を国外に求めた。ドイツでは国家社会主義労働者党（ナチス）が台頭し、ヴェルサイユ条約の破棄やゲルマン民族至上主義を掲げた。そしてユダヤ人排斥や反共産主義を柱とするヒトラー・ナチスの一党独裁の全体主義国家をつくりあげ（全権委任法、1933）、国際連盟を脱退し（1933）、再軍備を宣言した（1935）。イタリアではムッソリーニがエチオピアに侵攻し併合した（1935）。ドイツはイタリアとベルリン＝ローマ枢軸を構築し（1936）、ラインラントに進駐し（1936）、アジアの日本とも結び日独伊三国防共協定を締結した（1937）。そして、オーストリアを併合してズデーデン地方を獲得し（ミュンヘン会談、1938）、チェコスロバキアを解体し、ソ連と不可侵条約を結び（1939）、東方へ狙いを定めた。

日本は軍部が台頭し中国大陸への進出を強めた。中国では共産党が中華ソヴィエト臨時政府を建てたが（1931）、国民党の攻撃で陥落すると（1934）、1万2000kmにわたる農村解放の進軍をつづけ（長征）、この間、毛沢東の指導が固まった。こうしたなか日本は満州国を樹立し（1932）、国際連盟を脱退し（1933）、ワシントン体制から離脱し（1934）、ヨーロッパの独伊と防共協定を結び（1936）、中国深く侵入し、北京近郊の盧溝橋事件をきっかけに南京を陥落させるなど日中戦争（1937～41）を勃発させた。中国は再び国民党と共産党が共闘に動いた（第二次国共合作、1937）。

第二次世界大戦は英仏がポーランドと相互援助を結ぶと(1939.8)、直後ドイツがポーランドへ侵攻し英仏が応戦し始まった（1939.9）。イタリアもドイツ側として参戦し、独伊日の三国は同盟を結び（1940.9）、独はさらに東に向かい不可侵条約結を破棄しソ連と開戦した（1941.6）。これに対し米ルーズベルトと英チャーチルは民主主義国共通の戦後の平和構想を打ち出し、領土不拡大、民族自決、貿易の機会均等、軍備縮小、海洋の自由、国際機構の再建などを掲げた（大西洋憲章、1941.8）。

日本が米・ハワイの真珠湾を攻撃し（1941.12）、戦いはヨーロッパとアジアを主戦場に、米・英・仏・ソなどの26ケ国の連合国と独伊日の三国同盟側が戦う第二次世界大戦へと発展し（1941～45）、第一次世界大戦を上回る総力戦となった。中国も英仏と同盟し日独伊に宣戦布告し（1941.12）、日中の戦いは世界大戦に吸収された。戦いは米日間のミッドウェー海戦（1942.6）や独ソ間のスターリングラードの戦い（1943.2）以降、物量に勝るアメリカやソ連が率いる連合国側が優位にたつと、イタリアが降伏し（1944）、ドイツが降伏し、日本も新たな兵器・原子爆弾が広島・長崎に投下されて降伏し、大戦は終結した（1945.8）。

冷戦の時代（1945～89）

1945年、第二次世界大戦が終わると国際連盟にかわり国際平和の実現をめざす国際連合が発足した。翌年ベトナムでは共産陣営のベトナム民主共和国が独立し、旧宗主国のフランスとの戦いが勃発した（インドシナ戦争、1946～54）。47年米トルーマン大統領が共産主義封じ込め政策を発表すると、以降、ソ連率いる共産主義の支持勢力と、米・英率いる資本主義の支持勢力との間でイデオロギーの対立を軸とする「冷戦」構造が定着した。

こうしたなか世界で国家独立の動きが加速した。インドとパキスタンが分離独立し（1947）、中東のパレスティナではユダヤ人国家のイスラエルが建国されたが（1948）、直後から中東で独立反対の地域戦争がつづくようになった（中東戦争）。朝鮮半島は南北に分離独立し（1948）、ドイツは東西に分割された（1949）。そして中国では毛沢東の共産党が国民党との内戦に勝利し中華人民共和国を成立させた（1949）。50年代初頭には、朝鮮半島では北が南に侵攻した朝鮮戦争（1950～）が勃発し、戦いはアメリカや中国を巻き込みながら休戦協定が成立したが（1953）、この状態が今に至るまで続いている。

平和への動きもうまれた。ヨーロッパは域内の平和の基盤として経済共同体への形成に動き（1953）、アジア・アフリカ諸国は団結して世界の平和を訴えた（アジア＝アフリカ会議、1955）。インドシナ戦争の休戦が成立し、ベトナムでは南にフランスに変わってアメリカが支援するベトナム共和国が成立した（1955）。そして、ソ連がスターリンの対外強硬路線から西側諸国との友好へと転じ、東ヨーロッパ諸国でも民主化の動きがうまれるなど一時的ではあったが緊張緩和の流れがうまれた（雪解け）。ヨーロッパでは統合の基盤として経済共同体形成を発足させた（ＥＥＣ、1958）。

60年代に入るとアフリカで多くの独立国家が誕生した（アフリカの年）。さらに、中東の石油輸出国の利益を守るべく石油輸出国機構（ＯＰＥＣ、1960）が設立された。そして米ソ陣営に対抗して非同盟諸国首脳会議が開催され（1961）、第三世界として発言力を強めたが、これらの国々では民族の対立や内戦による貧困がつづいた。こうしたなか、韓国、フィリピン、インドネシアなどアジアの開発途上国では、貧困を脱すべく工業化を優先し反対勢力を抑圧する独裁政権が誕生した（開発独裁）。

冷戦はソ連の核実験再開、東西ベルリンの「壁」の設置、共産化したキューバへの核の配置によって緊張の頂点をむかえた（キューバ危機、1962）。米ケネディとソ連フルシショフの会談によって危機を脱し、核実験禁止や核拡散防止など再び緊張緩和への動きが芽生えた。しかし、ベトナムで共産陣営のベトナム民主共和国（北）とアメリカが支援するベトナム共和国（南）の戦いが始まり（ベトナム戦争、1965～73）、共産主義の路線をめぐる中国とソ連との対立も激化した。そして中国では毛沢東を先頭に、社会主義社会における階級闘争を貫徹し、「資本主義の道を歩む一握りの実権派」を打倒する文化大革命が始まった（1966）。一方ヨーロッパではＥＥＣを基盤として統合しヨーロッパ共同体の結成に動いた（ＥＣ、1967）。

70年代の世界は激動した。ベトナム戦争の長期化などからアメリカ経済の疲弊が明らかになった。ニクソンが大統領に就任し、金・ドルの交換を禁止して経済再生をはかり、中国と国交を回復してベトナム戦争を終結させた（ニクソンショック）。73年には中東でイスラエルとエジプト・シリアの戦いが勃発して（第４次中東戦争）、石油危機をまねき世界経済を混乱に陥れた（オイルショック、1973）。こうした混乱から将来の経済的課題を討議すべく、仏、西独、伊、日、英、米の先進国首脳会議が始めて開催された（サミット、1975）。

中国の文化大革命は毛沢東の死とともに終わり（1976）、鄧小平体制が成立した。そして農業・工業・国防・科学技術の「四つの近代化」を掲げ、対外開放政策を推し進めた。中東地域ではイランでイスラーム原理主義革命がおこり（1979）、混乱のなか、エジプトとイスラエルとの和平には前進したが（1978）、ソ連がアフガンに侵攻し（1979）、さらに石油資源の確保をねらうイラクがイランに侵攻するなど（イラン＝イラク戦争、1980～88）、不安定化がすすんだ。

80年代のアメリカではレーガンが大統領に就任し米ソの軍拡競争を再開した。これをうけてソ連は疲弊しゴルバチョフが国内の改革に立ち上がるなか、チェルノブイリ原発事故（1986）にも見舞われ、さらにアフガンから撤退を開始するなど（1988）、苦境に陥った。89年、中国では民主化運動が鎮圧され（天安門事件）、江沢民が社会主義市場経済を唱導し軍事力増強へも舵も切った。ソ連は力を失い、ポーランド総選挙で共産党が敗北し、ドイツ・ベルリンの壁が撤去されるなど東欧の共産党が解体した。アジアでは発展を求め経済協力会議が始まった（ＡＰＥＣ）。そして地中海マルタ島の米ソ首脳会談によって冷戦終結が宣言された。

グローバル経済と多極化世界の成立（1989～）

冷戦が終結すると、ドイツが統一し（1990）、ソ連は解体して周辺諸国が独立しロシアになった（1991）。冷戦終結の緊張緩和にともない、経済的利害や民族・宗教の諸問題をきっかけにイラクのクウェート侵攻（湾岸戦争、1991～92）やユーゴスラビア社会主義連邦共和国の解体に伴う内戦など（ユーゴスラビア紛争、1991～2001）多くの地域紛争が頻発する一方、南アフリカでの人種差別撤廃（1991）、イスラエルがパレスティナ自治へ合意し中東の和平が実現した（1991）。こうしたなか、持続可能な地球の環境と開発が強く意識され、ブラジルで「地球サミット」が開催され、気候変動の枠組みなどにつき毎年ＣＯＰ（締約国会議）を開催することになった（1992）。

アメリカは「小さな政府」「民間の活力」「競争原理」を強調する新自由主義経済の理念をうちだした。そしてコンピュータやインターネットによる新たな情報通信環境の確立と交通手段の著しい発達を背景に、人・物・金・情報の大量・迅速な流通が実現し、アジアの

ＡＰＥＣ、ヨーロッパ連合・ＥＵ（マーストリヒト条約、1992)、北米のＮＦＵＴＡ（1994）などが形成され地域の経済統合も進んだ。

95年には、戦後設立されたＧＡＴＴ（関税と貿易に関する一般協定）にかわり、ＷＴＯ（World Trade Organization：世界貿易機関）が設置され、世界各国が「自由に」モノやサービスなどの貿易に関する国際的なルールが定められ、貿易障壁を削減・撤廃した「グローバルな経済」が一気に実現した。

21世紀になると、米ソの力の相対的低下が明らかになった。シンガポール、韓国、台湾などの新興国が台頭し、改革開放に転じ経済特区の設置や市場経済を導入し大きく成長した中国、独自の発展をみせるインド、統合を積極的にすすめたＥＵ、経済成長に成功した日本、そして石油の力を背景に宗教的主張を強めるイスラーム諸国など、多極化する世界の姿が明らかになった。

こうしたなか、イスラームの過激派勢力がニューヨークの同時多発テロをおこし（2001)、アメリカはテロの黒幕としてアフガニスタンを攻撃し、テロ対策としてイラクを攻撃した（2003)。中国もチベットやウィグル族の民主化運動の抑圧をつづけ、ロシアでもプーチンが強権的支配をつづけている。経済成長はしても必ずしも民主化がすすむわけではなく、異なる思想や経済・政治制度をもつ多様な国々が自らの主張を際立たせ混乱の止む気配はない。

そして、経済面を見れば中国や日本を中心とするアジアの力が欧米に肉薄し追い越す勢いをみせ、大航海時代以降、約500年にわたった欧米主導による世界秩序が転換期にあることも明らかになった。世界は新たな秩序の構築や地球環境問題の解決など多くの難問に直面している。

科学と技術：第二次・第三次産業革命とリスク

第二次産業革命（19世紀末～20世紀初頭）

19世紀末、アメリカやドイツを先頭に電気と石油をエネルギー源とする重工業や電気・化学など新たな産業の形成が始まった。この技術革新は18世紀後半の第一次産業革命につづき第二次産業革命と呼ばれている。

鉄は炉の開発によって強靭な鉄鋼となり、アルミニウム・ニッケルなどの非鉄金属も量産可能となった。ジーメンスの電気による動力機関、ガソリンなど石油を用いるベンツの内燃機関、ノーベルのダイナマイト、エジソンの電灯、ベルの電話、マルコーニの無線通信などが実用化され、フルトンの汽船、ジーメンスの電気鉄道、ベンツの自動車、さらにはツェペリンの飛行船、ライト兄弟の飛行機など新たな交通に関わる技術の革新も誕生した。さらに化学合成技術によって繊維、ゴム、肥料などが生産され、医学・公衆衛生技術も進んだ。

	製鉄・製鋼
1856	ベッセーマーの転炉法
1864	シーメンス・マルタンの平炉法
	電気・電力・エネルギー
1866	ジーメンスの発電機製作、ノーベルのダイナマイト発明
1877	エジソンの蓄音機（77）白熱電球製作（79）
1897	ブラウンの映像管製作
	通信技術
1876	ベルの電話機製作
1897	マルコーニの無線電信会社創立
	交通技術
1869	アメリカ大陸横断鉄道の完成・スエズ運河の開通
1872	世界一周航路の実現
1876	フルトン（米）の汽船
1879	ジーメンスのベルリンに電気鉄道敷設
1885	ダイムラー・ベンツのガソリンエンジンと自動車の製作
1893	ディーゼルのエンジン製作
1895	ミシュランの空気タイヤ製作
1900	ツェペリンの飛行船の飛行
1903	ライト兄弟の飛行機の飛行

運河、汽船による太平洋横断、アメリカ大陸を横断する長距離鉄道による世界を一周する交通、無線やケーブルによる長距離の通信などの技術革新によって地球世界が実現し、そしてダイナマイトなどによって大規模な土木工事が可能となり人口が集中する大都市の建設や再開発が行なわれた。

新産業の創出には巨大な設備投資が必要であり、産業資本に加え、新たに金融資本の役割も増大した。アメリカでは南北戦争後の国内再建のなか同一業種の複数企業が単一の巨大資本のもとでトラスト（同一企業間の吸収・合併）が推進された。五大湖沿岸に大規模工業地帯が形成され、大陸横断鉄道や電信・電話によって諸都市が相互に結びつき、大企業が大量生産によって巨大市場を支配した。一方ドイツでは国家統一後、異なる業種・企業が単一の巨大資本のもとでコンツェルン（異業種を統合した財閥）を推進し、90年代以降、工業化が急速に進展し、重工業に加え化学や電気工業などで世界をリードした。

20世紀初頭には物理学においてもニュートンの物理学（古典力学）につづく大きな発見があった。ドイツの物理学者アルベルト・アインシュタインは相対性理論や光のもつ粒子と波動の二重性などを証明し、シュレジィンガーやハイゼンベルクは分子や原子あるいはそれを構成する電子など微視的な物理現象を確率や統計によって記述する量子力学を打ち立て新たな世界観をうみだした。

第三次産業革命（20世紀後半）

二つの世界大戦が終わると、戦時の技術をうけつぎ、原子力、飛行機・ロケットそして自動車、化学、生命科学など幅広い産業が発

アインシュタイン（1879～1955）

達した。アインシュタインの理論による原子力は第二次大戦中には大量破壊兵器としての原子爆弾となり、戦後には水素爆弾へと発展し威力を増した。そして新たなエネルギー源として原子力発電へと応用された。飛行機は第二次世界大戦末からジェット機、ロケット、大陸間弾道ミサイル、さらに月などに到達する宇宙船として発展をとげた。自動車の大衆化がすすみ自動車産業は世界経済の中枢となり高速道路の建設も始まった。生命科学はペニシリンの発見以来、抗生物質などの医薬品が開発され人間の寿命を大きく伸し、化学工業では石油を原料とするナイロン・プラスティックなどの人工素材が開発された。

新たに量子力学やデジタル理論をもとに電子・半導体、コンピュータなどの新たな産業が急速な発展をとげた。第一次・第二次産業革命の重厚長大と比較し、これらは軽薄短小を特徴とする第三次産業革命となった。これまでの真空管にかわり、20世紀後半には半導体の時代となり、集積技術の向上によって小型化したパーソナルコンピュータ（ＰＣ）や高速に演算可能な大規模なスーパーコンピュータが誕生した。さらに光ファイバ、衛星や無線によるデジタル通信技術とコンピュータとがつながり国際的な通信網（インターネット）が構築された。そしてジェット機、自動車、高速巨大船によって人や物が大規模かつ迅速に移動する交通網の実現とあわせ世界経済を一体化させた「グローバル時代」の基盤となった。先進諸国ではオートメーションやロボット化によって生産性が向上し、同時にパーソナルコンピュータやスマートフォンなどを基盤に金融・流通・保険などの新たなサービス産業が発展し、サービス産業の従事者が全産業別人口の半数を超えるようになった。

21世紀にはいり、ＡＩ（人工知能技術）の技術開発がすすんでいる。ＡＩは認識、言語理解、判断、推論、学習、問題解決といった人間の頭脳による働きをコンピュータによって実現する技術であり（ディープラーニングなど）、コンピュータの処理能力の飛躍的な向上とあわせ（量子コンピュータなど）、人間の知力を代替させながら、さまざまな産業や軍事分野へ浸透を始めている。これらのＡＩ技術は極めて大きな社会変革をもたらすとし第四次産業革命の出現といわれている。

科学技術とリスク

第一次、第二次、そして第三次産業革命によって産業や軍事は巨大化の一途をたどった。科学は自発的研究を中心とする大学をはなれ、科学のもつ理論的知識のうえにさまざまな技術が一体化し、科学と技術をあわせ「科学技術」と呼ばれるようになった。国家や企業は新たな領域の開発をめざし目標を明確に掲げた開発組織「プロジェクト」を立ち上げ、巨額の予算を集中的に投入し、大量の科学者や技術者を動員し研究と開発を強力に推進した。

科学技術は著しく進展し我々の生活を豊かにしたが、さまざまな負の側面が明らかになった。経済成長優先の大量生産と大量消費のもと、産業も家庭も大量の資源と大量のエネルギーを消費し大量の廃棄物を排出した。環境や生態系が破壊され、大気や水質の汚染、熱帯雨林の破壊、海洋汚染、野生生物の絶滅、さらに地球の温暖化や砂漠化、オゾン層減少など幅広い領域が、人類存続の危機として認識されるようになった。このため1992年から地球サミットが開催され、喫緊の課題として世界温暖化がとりあげられた。2016年のパリ協定では、できるかぎり早く世界の温室効果ガス排出量をピークアウトし、21世紀後半には、温室効果ガス排出量と（森林などによる）吸収量のバランスをとるべく、世界の平均気温上昇を産業革命以前に比べて2℃より低い1.5℃に抑える世界目標が掲げられた。

チェルノブイリや東日本大震災による原発事故によって放射線の自然や人間への危険性も明らかになった。身近な電化製品、食料品などの「人工物の製造」の分野でも、製造物の欠陥による生命・身体・財産などへの人的被害が指摘され、その責任の所在を明らかにすべく日本では「製造物責任法」が制定された。医薬品や遺伝子研究などの生命科学研究では、人間の命の倫理と深く関わることから自主的ガイドラインの必要が高まり、日本では「ヒトに関するクローン技術等の規制に関する法律」を定め、研究の開始には研究機関内の倫理員会の承認を必須とするなどリスクを事前評価する仕組みが制定された。さらに行政・交通・金融など巨大な社会システムにおけるプライバシーの保護やシステムへのサイバー攻撃も大きな問題になっている。そして、科学技術が求める高度の知識労働に対する労働者の適応可否による大きな経済的格差の問題も広がりをみせている。

こうした様々な問題を解決していくためには、研究開発を担う科学技術者自身が、問題をその由来から正しく理解し、「最悪のシナリオ」を考慮しながらバランスよく発展させることが不可欠だろう。そして何より幅広い専門家や一般市民など社会全員が参加し、俯瞰的視野から科学技術というモンスターをコントロールせねばならない時代となっている。

軍事と戦い：新兵器の開発と総力戦

第一次世界大戦（1914-18）は強力な軍事力と徴兵によって巨大な国民軍を構築した国家の間の総力戦となり、その国のもつ経済規模や科学技術の優劣が戦いの帰趨を決めることが明瞭になった。新たに飛行機・戦車・潜水艦・毒ガスなどの兵器が開発され、特に飛行機や通信機の発達により制空権の重要性が増した。そして塹壕戦による戦闘の長期化や都市爆撃などによって、戦闘員900万人以上、非戦闘員700万以上が死亡したとされる。また、参戦国の間で、戦後の中東国境の線引きなどの密約が交わされ（フセイン＝マクマホン協定・1915、サイクス・ピコ協定〈英・仏〉・1916、バルフォア宣言・1917）、今につづく中東の混乱と対立の火種を作り出した。

第二次世界大戦（1941～45）は総力戦の傾向が一段と強まり、アメリカを中心とする連合国のもつ巨大な物量と軍事技術が勝敗の決め手になった。飛行機や潜水艦は速度や航続距離においてさらなる発展をみせた。新技術のレーダーによる感知が戦局の優劣を大きく左右し、ドイツで通信の守秘のためエニグマなどの暗号技術を開発するとイギリスはその解読計算のためコンピュータを開発し、さらにドイツではロケットの試作が始まった。そして爆撃機の登場によって前線の兵士のみならず、兵器の生産拠点など後方の一般市民が戦禍にまきこまれ、大戦の戦死者と市民の犠牲者は2000万人を上回ったとされる。アメリカでは独・伊の亡命科学者の参加した核技術によって原子爆弾が開発され広島と長崎への投下によって一瞬にして21万人が犠牲となった。

冷戦下で勃発した地域紛争は米ソの代理戦争の様相を呈し（インドシナ戦争・1946～54、朝鮮戦争・1950～53、ベトナム戦争・1965～75）、この間、中東ではイスラエルの建国以降、対アラブとの地域戦争が4回にわたり続いた（中東戦争、1948・56・67・73）。核の管理が問題となり、核を搭載したロケット（ミサイル）の配置をめぐりキューバ危機（1962）など一発触発の事態も生まれたが、米・ソは、「相手が核の先制攻撃をしかけてきても、その第一撃をしのぎ、その後に壊滅的な反撃を加えうる能力をもてば、相手は先制攻撃できないとする核抑止力の論理」により核の均衡を維持した。

20世紀後半には、軍事は核や化学兵器の小型化が進みミサイルを海中の潜水艦や宇宙空間の衛星から発射する攻撃に加え、無人飛行機や安価な民間技術を活用した小型飛翔体ドローンなど新たな兵器が開発された。そして戦いの前段として、社会に浸透した通信やコンピュータの電子空間を利用して社会生活に打撃を与える「サイバー攻撃」が重要視されるなど、科学技術の著しい高度化によって軍事の領域が社会全体におよぶ新たな段階にふみだしている。

第Ⅲ章　日本史の概要

1　日本史の構図

日本史は、明治以降、国民が「国家の歴史」を共有するうえで必須の存在として、歴史の中心を政治におきながら、それぞれの時代の経済・社会・文化を叙述している。日本史の基礎をなすもの、それは日本が成立して以降、長く独立を維持した一国一文明の国家としての認識である。

日本の成立

日本列島の人類と社会

地球上に現生の人類があらわれたのは、今から約20万年前とされている。この時代は地質学では更新世（約500万年前～1万年前）と呼ばれる時代で、寒冷な氷期と比較的あたたかい間氷期がかわるがわるおとずれ、そのたびに海面の下降と上昇がくりかえされた。また地殻の変動や火山活動もおこり地形がはげしく変化した。日本列島はアジア大陸とつながり形はたびたび変わった。そして日本列島にはナウマンゾウ・マンモスなどの大型の動物が進出し、人類もこれらの群れを追いながら移り住んだと考えられている。

約1万年前からを地質学では完新世とよび、氷河期が終わって地球は温暖化に向い、このころ宗谷・津軽・対馬などの海峡がうまれて大陸から切り離され、おおむね現在の日本列島の姿となった。日本では大型の動物にかわり、シカ・イノシシ・ウサギなどの小形の動物が増え食料も豊かになった。この地に住む人類は、狩猟採集をしながら新たな文化を生みだしていった。

こうしたなか、日本の社会は、日本列島の地形や気候といった自然地理上の条件や生物としてヒトを含めた動植物の生態学的な条件のもとに一つの生業を作りあげ、さらに頻発する地震や台風などの自然災害に打ち勝ちながら、一つの世界観を共有し成立していった。

生態学者の高谷は、日本社会は、まず日本の世界（内世界）を形成し、そのうえに中華世界やインド世界の文明などの外からの文明を吸収し在地化してきたとし、以下のようにまとめている。

日本は島国であり、海に囲まれていて大陸からは隔離されている。このことが日本の独自性を創る大きな特徴になっている。

列島の最初の住民たちはこの島という環境の中で自分たちの身体と文化を作った。日本人になった。日本人とは何か？それは日本語を話す人たちである。では、その日本語とは何か？それは北の森（東北アジアの森）から南下したツングース系の人たちと、南の海から北上してきたオーストロネシア系の人たちが※2、この島で混じり合って作った言葉だという。今から5000年ほど昔にできたものだという。

言葉が混じり合っただけではなく、心も混じり合ったのではないかと、私は考えている。森の人たちは、北の森の人も南の森（東南アジアの森）の人も、万物に魂を認めている。あるいは物には「カミ」が宿ると考えている。木や草にも動物にも、水の流れや岩にも「カミ」を認めている。「カミ」が周りにいっぱいいて、その中で自分も魂をもった者として生きていると、そんな風に考えている。

一方、海の人たちは、万物に魂を認めるのだが、加えて「マレビト」信仰というものをもっている。遠くに自分よりも勝れた人たちがいて、あるとき、不意に流れに乗ってやってきて、自分たちを導

※2　オーストロネシア語を話す民族の総称。台湾原住民、フィリピン諸民族、マレー人、ミクロネシア人、ポリネシア人等。卓越した航海技術によって、西はマダガスカル、東はイースター島、南はニュージーランドまで、広大な範囲に分布を広げた。

いてくれる。そんな期待を持っている。だから、訪れてくる客人を尊敬の念をもって受け入れる。

日本列島で出会うことになった北の森の人たちと南の森や海の人たちは、混じり合って、この森の魂と海の「マレビト」というものの両方を共有するような人たちが出現することになったのだ。だから、日本人の身体の基層には、汎神論と「マレビト」信仰があると、私は考えている[※3]。

つぎにこうしたものの上に弥生時代（前3世紀から3世紀頃）になると、もうひとつ別の要素が入ってきた。これは長江流域から入って来たもので、老荘的、あるいは道教的世界観とでもいうべきものである[※4]。これは思惟的なものだが、決して洗練された思想として入って来たものではない。稲作としっかり結びついた生き方そのものであったに違いない。稲作民は仲間と共に同じ土地を耕して、それを自分たちの子孫に伝えていく。ここにあるのは、強い土地意識と、土地への感謝の気持ちである。

森の人、海の人、それからあとから入って来た川筋の人は、お互いに孤立していたわけではないから、交流し、その血も混じり合った。こうして汎神論、「マレビト」信仰、川の人たちの土着意識が複合して日本人ができた。ここまでを一応、日本の内世界としてよいのではないかと思っている。

そして日本には古来、いくつかの外文明が到来した。それらは瞬く間に在地化したのではないか、と私は考えている。汎神論、「マレビト」信仰、土着意識は完全に融合していて、極めてしっかりとした内世界を作っていた。だから、そこに到来した外文明は、それを一層豊かなものにする、あるいは活性化することがあっただけで、その土台から作り直すということがなかったように思う。こうして外文明を受け入れ、時には換骨堕胎をともないながら、この日本に

※3　汎神論：創造者（神的存在）と被創造物（世界や自然）とを結びつけて考える宗教的・哲学的立場。全てのものに神が宿ると考える。
※4　老荘的・道教的世界観：無為自然、人為よりもあるがままの自然との調和をめざす。

定着し、ここをより豊かなものにしてきた。

（高谷好一『世界単位日本』、京都大学学術出版、2017、p 425～428）

一国一文明の日本

日本の宗教：神道

ユーラシア大陸の東端にある島国の日本は、列島のなかで、石器や土器に代表される高度な文化や日本語を話す独自の世界をつくり、アジア周辺の様々な文明を受け入れていった。日本の「文明」を考えるとき、文明の諸要素をなす政治・経済・社会・文化などの思想や儀礼などの基礎としてあるもの、すなわち日本列島の自然や生業に根差し長い時間をかけて練り上げられた日本の宗教について明らかにする必要があろう。

日本を起源とする宗教は汎神論、「マレビト」信仰、土着意識の融合のうえに、伝統的な民俗信仰・自然信仰・祖霊信仰をもとにうまれた「神道」であり、それは豪族層による中央や地方の政治体制と関連しながら徐々に成立していった。神道には確定した教祖や創始者はなく、またキリスト教の聖書やイスラームのコーランにあたる経典もなく、奈良時代にまとめられた、『古事記』や『日本書紀』などがその原典としての役割を果たしてきた。森羅万象に神が宿ると考え、また偉大な祖先を神格化し、天津神・国津神などの祖霊をまつり、祭祀を重視し「惟神の道（かんながらのみち、神とともにあるの意）」と「浄明正直（浄く明るく正しく真直ぐに）」を徳目としてきた。

奈良時代以降、神道は大陸から伝来した仏教信仰と混淆し一つの宗教体系として再構成された（神仏習合）。この神仏習合の動きのなかで、仏教の側から、天台宗を基礎とした山王神道、真言宗を基礎とした両部神道、また日蓮宗を基礎とした法華神道が説かれた。

東国に政権が移った鎌倉時代には神仏を分離し、伊勢神宮や出雲大社では、神道を唯一絶対とする神本神道がうまれたが、都が京都に戻った室町時代には、神話のなかから日本国家の成り立ちや政治・社会体制の不変の基礎を追及する動きが強まった。そして、「日本は天祖の神によって創られ、天神・地神の時代を経て、皇祖の神の神統が万世一系の皇統を保ちつづけ日本国を成立させた」とする神国論的国体論が形成された。

江戸中期、国学者である賀茂馬淵、本居宣長、さらに平田篤胤は、外来の仏教や儒教の影響を排斥して日本古来の信仰を尊ぶ復古神道を説いた。江戸末期になると水戸学の藤田東湖は神国論的国体論を骨格としながら儒教の「道」を説き、幕末の尊王攘夷論へ大きな影響を与えた。

明治時代には天皇中心の国民統合を実現すべく、天照大神をまつる伊勢神宮の神道を国教に定めたが（国家神道）、第二次大戦の敗北後は宗教の自由から国家神道は解体され、象徴天皇制のもとでの神道となり今に至っている。日本起源の宗教は神道であり、6世紀以降、大陸から伝わった仏教や儒教の影響をうけつつ今も日本の基層をなしている。

日本の文明

日本は神道という独自の宗教を育んできた。そして日本は6世紀、飛鳥時代に国家として成立し、20世紀の第二次世界大戦において敗北しアメリカを中心とする連合国の占領（1945）からサンフランシスコ平和条約（1951）によって独立するまでの約6年間の占領期を除き、長く独立を維持し日本の伝統を守ってきた。

こうした点から日本文明を独立した文明としてとらえる論が大勢である。アメリカの歴史家ハンチントンは「日本の文明は中国の文明とは異なる独自の文明とすべきで、しかも、前世紀に近代化を遂げたが西欧の文明と異なったままであり、日本は近代化されたが西欧にはならなった」とし、日本文明について以下のように述べている。

世界のすべての主要な文明には、二カ国ないしそれ以上の国々が含まれている。日本がユニークなのは、日本国と日本文明が合致しているからである。そのことによって日本は孤立しており、世界のいかなる国とも文化的に密接なつながりをもたない。さらに、日本のディアスポラ（移住者集団）はアメリカ、ブラジル、ペルーなどいくつかの国に存在するが、いずれも少数で、移住先の社会に同化する傾向がある。この点で、世界各地に中華街を形成する中国人などとは大きく異なる。……日本と他国との関係は文化的な紐帯ではなく、安全保障および経済的な利害によって形成されることになる。しかし、それと同時に、日本は自国の利益のみを顧慮して行動することもでき、他国と同じ文化を共有することから生ずる義務に縛られることがない。

（ハンチントン（鈴木主税訳）『文明の衝突』集英社、1998、3～4）

一方で日本文明について、日本列島と中国大陸や朝鮮半島、ベトナムにいたるまでの地域を同一の文化圏で捉えた中華文明の一部とみなす論があり、そこでは、日本の国家形成や文化構造にみられる中国の影響や、また日本の為政者の政治理念にしばしば外来の仏教思想や儒教倫理が取り入れられていることを重視する。では、中国

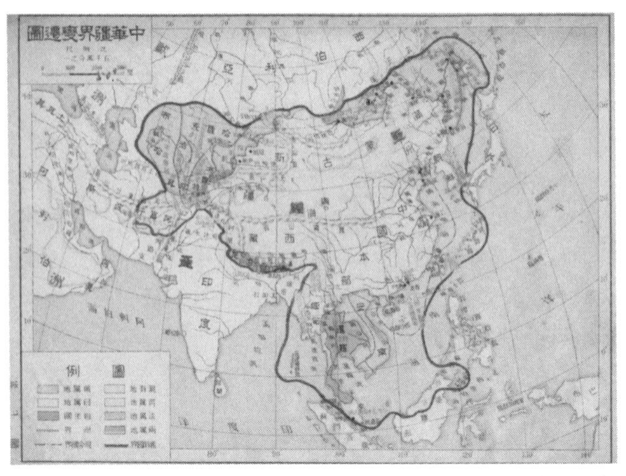

国恥地図の一例。1933 年世界輿地學社「小學適用本國新地圖」

からみた日本はどうであろうか。その一つとして、1930年頃、上海で発行された小学校の地理教科書において、本来あるべき中国全土の姿を示した「国恥地図」が参考となろう。この教科書では、中国が欧米と日本の列強によりいかに侵略されたか、それを「国恥」として訴えたもので、彼らの考える中国の領域を表している。

地図の中国の領域は、沖縄を含む琉球列島、台湾（当時は日本統治下）、東・南シナ海、東南アジア、中央アジアなどに広がっている。しかし、日本本土は含まれず、少なくとも近現代の中国において、日本は中国文化の影響がおよびつつも、中国とは異なる国とはっきり認識している。こうしてみれば、日本を一国一文明の国として間違いなかろう。

日本史の時代名称

日本史の時代区分は、文字史料が不十分な時代（先史時代）については出土した土器・古墳の形態を分類して縄文時代・弥生時代・古墳時代に区分し、文字が中国から伝わり、『古事記』や『日本書紀』などが著される時代（歴史時代）にはいると、政治権力の所在地などに着目して飛鳥時代・奈良時代・平安時代・鎌倉時代・室町時代・安土桃山時代・江戸時代に、その後は天皇の在位ごとに明治時代・大正時代・昭和時代・平成時代の名称を用いて区分することが概ね確立している。

（先史時代）
旧石器時代：10万年前～1万年前
縄文時代：1万年前～
弥生時代：前3世紀～
古墳時代：3世紀中頃～
（歴史時代）
飛鳥時代：6世紀末飛鳥に都をおく。
奈良時代：710年平城京遷都～
平安時代：794年平安京遷都～
鎌倉時代：1185年源頼朝による守護・地頭の設置～、鎌倉に政権をおく。

建武新政：1334 年後醍醐天皇による親政開始～
室町時代：1336 年足利尊氏による建武式目制定、京都室町に政権をおく。
安土・桃山時代：1573 年織田信長による足利義昭放逐～
信長が安土（現滋賀県近江八幡市)、秀吉が桃山（現京都市伏見区）に政権をおく。
江戸時代：1603 年徳川家康が征夷大将軍になる～、江戸に幕府を開く。
明治時代：1868 年明治天皇即位～
大正時代：1912 年大正天皇即位～
昭和時代（前期)：1926 年昭和天皇即位～
（第２次世界大戦敗北）
（後期)：1945 年～ 1989 年（占領期：1945.9　から 1952.4 まで）
平成時代：1989 年平成天皇の即位～
令和時代：2019 年平成天皇の譲位・令和天皇の即位～

５つの時代区分：原始古代・中世・近世・近代・現代

日本史の構図をわかり易く理解するうえでは、時代の名称による区分よりももっと長い時間で政治権力や体制、社会や文化などの変化を理解することが必要となろう。このため、日本の先史時代については原始と呼び、歴史時代を古代・中世・近世・近代・現代の５区分とする方法が用いられている。５区分には諸説あるが、政治体制の変遷を重視した以下の区分けが概ね確立している。

１）原始古代：日本社会が成立し豪族がうまれた原始と、豪族が統一され王権（天皇）を中心とする国家が形成された時代
２）中世：平安時代末期に平氏による武家政権が誕生し、その後、武士によって鎌倉や京都室町を中心に国家が形成された時代
３）近世：織田信長と豊臣秀吉によって戦国の世が統一され、さらに徳川家康によって江戸を中心とする幕藩体制が構築された時代
４）近代：明治維新によって欧米流の立憲君主制国家が形成され富国強兵に成功しアジアへ進出した時代、
５）現代：第二次世界大戦に敗北し新たに民主国家が誕生した時代、
この５区分は時代名称とあわせ以下のように整理されている。

原始古代――日本の誕生と古代国家の形成

原始：旧石器時代、縄文・弥生・古墳時代

古代：飛鳥・奈良・平安時代

中世――武家国家の形成

平安末期、鎌倉・建武新政・室町時代

近世――幕藩国家の形成

安土桃山・江戸時代

近代――近代国家の形成

明治・大正・昭和（前期）時代

現代――民主国家の形成

昭和（後期）・平成から現在までの時代

５区分と国力：人口と経済の規模の変遷

人口と経済規模からみた日本の国力について、５区分毎にその変遷を確認しよう。日本の人口と経済規模（ＧＤＰ：国内総生産）については、前章同様、アンガス・マディソンの『経済表』を用いる。そして、中国・イギリス・アメリカなどと比較する。アンガスの経済データは1500年以降が示され、以下の統計年は、世界史と日本史にとって節目の年となっている。

近世　1500：大航海時代の始まり、アジアの帝国の形成
→室町時代末期の戦国期
1600：ヨーロッパの蘭・英・仏の東インド会社設立
→関ヶ原の戦い

近代　1700：ヨーロッパの世界進出拡大
→江戸時代央。文治政治と国内開発が進む
1820：ヨーロッパ産業革命進展とアジア市場開拓、アジアの動揺。
→欧米勢力の日本接近

現代　1870：地球世界の成立

→明治新政府樹立
(西欧近代国家の構築、富国強兵)
1913：第一次世界大戦前夜
→日清・日露戦争の勝利とアジアへの進出
1950：第二次世界大戦の終結・冷戦の始まり
→敗戦と民主国家の成立
2000：冷戦の終結と多極化世界の形成
→戦後の高度成長から低成長への転換

アンガスの表では1500年以前についてはＧＤＰのデータがなく、西暦1年、1000年の人口のみである。人口とＧＤＰ、一人当たりのＧＤＰ、さらに各地域の間の戦いなど歴史上の主要な出来事を一覧としてまとめた（表)。アンガスの表のＧＤＰについては、前章同様、杉山伸也による調整値を採用した。

表では注目すべき数値に囲みを与えた。これによれば、原始古代から中世にかけての緩やかな成長（概ね自給自足の社会)、中世鎌倉時代の中国侵攻（元寇）撃退する経済力の保持、近世の国力向上と中国を上回る豊かさ（一人当たりのＧＤＰ）の実現、近代の富国強兵の邁進と米国経済力の１／７に過ぎない経済力による敗戦、そして現代の高度経済成長と欧米並みの豊かさの実現、を大きく読み取ることができよう。

５区分と領域：地図や交通にみる変遷

以下、日本史の構図として５区分を単位とし、この経済表からみてとれる日本の人口と経済規模を中国、英米などと比較しながら、独立を維持した日本の領域が如何に変遷していったのか、地図や交通事情などから明らかにする。そして現在の日本が抱える領土問題についても確認する。

人口と経済

上段人口・百万人、中段 GDP・10 億ドル、下段一人 GDP・ドル／人

西暦年	日本	中国	イギリス	アメリカ	
原始古代：縄文・弥生・古墳／飛鳥・奈良・平安：人口成長・年率　0.2%					
1	**3**	59	0.8	0.7	
1000	**8**	59	2.0	1.3	
中世：鎌倉・建武新政・室町：人口成長・年率　0.2%					
1500	**15**	103	3.9	2.0	元寇
	8	62	3.0	1.0	
	533	602	770	500	**豊かさは中国の× 0.6**
					ポルトガル・スペイン来航
近世：安土桃山・江戸：経済成長・年率　0.55%					
1600	19	60	6	1.5	江戸幕府成立
	10	96	6	1	「鎖国
	526	600	972	666	
1700	27	138	8	1	
	15	83	11	1	国内経済・文化の発展
	555	601	1285	1000	欧米勢力の接近
1820	31	381	21	9	
	21	229	36	13	**豊かさで中国を超える**
	677	**601**	1695	1103	**開国**
近代：明治・大正・昭和前期：経済成長・年率　4 ~ 5%					
1870	34	358	31	40	明治維新
	25	190	**100**	**98**	**英・米経済力の 1/4**
	735	530	3185	2435	日清・日露戦争、大陸進出
1913	52	427	45	97	第一次世界大戦
	72	241	225	**517**	**米経済力の 1/7**
	838	551	4928	5927	第二次世界大戦
現代：昭和後期・平成：経済成長・年率　6 ~ 7%					
1950	84	547	50	152	占領期から独立へ
	161	240	348	145	経済成長路線
	1916	438	6942	9560	
GNP世界の 10%（1980）					
2000	127	1275	59	285	
	2669	4330	1180	7942	
	21015	3396	**19732**	**27866**	**欧米並みの豊かさ**
					人口減・低成長へ

原始古代：本州・九州・四国からなる島国

人口は1～1000年で年率約0.2％弱の緩やかな伸びを示している。自給自足で、その経済規模も人口と同様な伸びであろう。日本は緩やかな成長をつづけ、領域は北や南へと広がっていった。

飛鳥時代までの地図は残されていないので、当時、日本の領域をどう認識していたのかは確認できない。しかし、大化の改新の班田収授の実行にあたり国司に地図作成を求めた記録が残され、また『続日本書紀』によれば、律令制度のもとで、738年諸国に「国郡図」の造進が指示されている。

奈良時代には、辺境へ開拓を進め東北に多賀城を設置し、九州南部や種子島を領土に編入した。北海道については、『日本書紀』に蝦夷（えみし）の住む渡島に軍を送ったとの記述があり出羽国との交易も確認されている。

こうしたなか、高僧・行基（668～749）が初めて日本図をまとめ

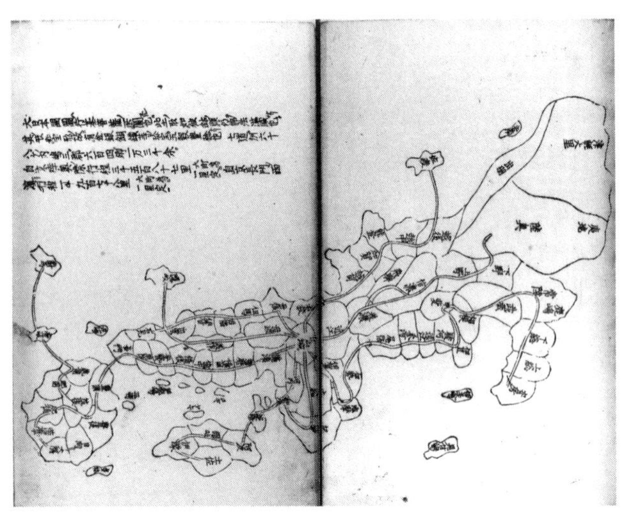

行基図（『拾芥抄』写本。

た。この日本図は「行基図」と呼ばれ、「延暦二十四年改正與地図」(805) のものが最古とされる。それは写本によるしかないが、日本は簡単な塊状の図形に表現され、本州・九州・四国からなる島国となっている。

地図には山城から五畿七道に向かう交通路も記入されている。五畿七道は畿内七道といわれる律令制における広域行政区画である。五畿は畿内ともいわれ大和、山城、摂津、河内、和泉の五国で、現在の奈良県、京都府中南部、大阪府、兵庫県南東部に相当する。七道は東海道、東山道、北陸道、山陽道、山陰道、南海道、西海道である。この行基図が基本となり、江戸時代初期まで、日本全図の基本となり更新されていった。

中世：日本の正確な認識と中国・インド世界の意識

中世の人口は、1000年8百万人から、室町時代末の戦国期の1500年には1千5百万人となった。年率約0.2%弱、古代と同等の伸び率である。しかし、鎌倉時代には二回にわたりモンゴルの侵攻（元寇）を受けたが、これを撃退する国力をもつ国家体制を備えていたことに注目したい。

国内の開発が進むとともに領域も正確に認識された。鎌倉時代の行基図として、仁和寺所蔵の「日本図（仁和寺図）」(1305) がある。日本の輪郭にはやや屈曲が加わり、陸奥・出羽が大きく東に突き出し、紀伊の部分は半島状に描かれ、形状の認識はより正確になった。神奈川・金沢文庫の行基図では、日本の周辺に、竜及（琉球）・高麗・新羅・唐土・蒙古など実在の国名のほか、実在しない地名も記載されている。

室町時代の法隆寺蔵「五天竺図」(1364) は仏教的世界観によって世界を描き、日本・唐・天竺からなる三国の世界を描いている。16世紀中の唐招提寺所蔵の行基図では九州の西岸をはじめ日本の沿岸に多くの島嶼が描かれ、九州西方に志賀島・呼子・平戸・天草などの諸島が描かれており、大陸との交流を意識したものと考えられる。

この時代には、既に元寇や倭寇によってえられた人々の海外意識が反映され、特にインドを羅刹国と呼び、仏典によって伝えられた空想の国として描いている。

北海道は地図にはない。しかし、鎌倉時代には蝦夷（エゾ）地と呼ばれるようになり、交易のため日本人（和人）がわたり、室町時代には、現在の渡島半島の海岸沿い（松前地方）に蝦夷（アイヌ）と交易する館を築き、和人が支配権を強めた。

近世：世界のなかの日本の認識、測量探検、北海道の組込み

近世の日本は大量の銀産出の経済とその後の自力発展により国力を高めた。1600年から1870年（ほぼ江戸末）までの、約270年で、人口は19百万人から34百万人になり約1.8倍、経済規模は100億ドルから250億ドルに拡大し約2.5倍・年率0.55％、中世の2～3倍の成長をとげた。

戦国時代にポルトガル人やスペイン人が来航して世界の大航海時代に組み込まれ、自らを東アジアから世界のなかに初めて位置付けた。16世紀末の「南蛮世界図屏風」（作者不詳・福井市浄徳寺蔵）では、上段に世界全域が、下段に世界のなかの日本が描かれている。豊臣

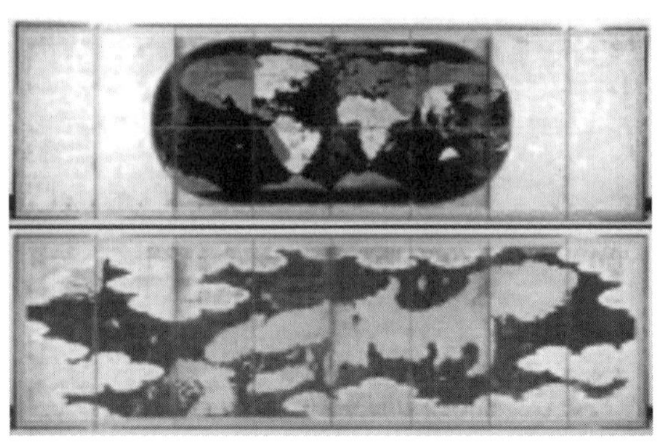

南蛮屏風世界図・日本図（16世紀末）

秀吉はスペインに対抗し、銀の力で頓挫はしたものの明をめざし朝鮮半島に出兵した。

江戸時代には海外との交流を長崎などに限定し、国内各地の道路や航路などのインフラ整備を断行して市場を全国に広め経済は自立発展を遂げた。この時代を中国・清と比較してみよう。1600〜1700年頃までは、豊かさの指標である一人当たりのGDPも10%ほど下回った。しかし、1820年の江戸期後半には、国内経済の発展によって豊かさは、歴史上始めて10%ほど中国を上回った。

世界の学問の影響やロシアの来航などで領域への認識は大きく変化した。17世紀初頭、家康は、秀吉の太閤検地につづき、全国の諸大名に石高や租税の調査とあわせ国絵図の作成を命じ、これをもとに「慶長日本図」が作成され、この国絵図をもとに「正保日本図」(1656)、「元禄日本図」(1702)、「享保日本図」(1719)の制作がつづいた。この間に中国からマテオ・リッチの『坤世万国全図』(1602)が伝わった。

18世紀になると、蘭学者によって医学・天文学・兵学とならんで世界に地理書が翻訳され、これをもとに世界レベルの日本地図が作成された。長久保赤水の『改正日本輿地炉底全図』(1779)で、形状・距離・方角をほぼ正確に表現し経緯線を加え、幕末まで日本を代表する地図となった。18世紀末から欧米勢力が日本に接近すると、19世紀初頭、高橋景保はイギリスの世界図を参考に当時の測量探検成果を加え『新訂万国全図』(1817)を作成した。伊能忠敬は実測によって『大日本

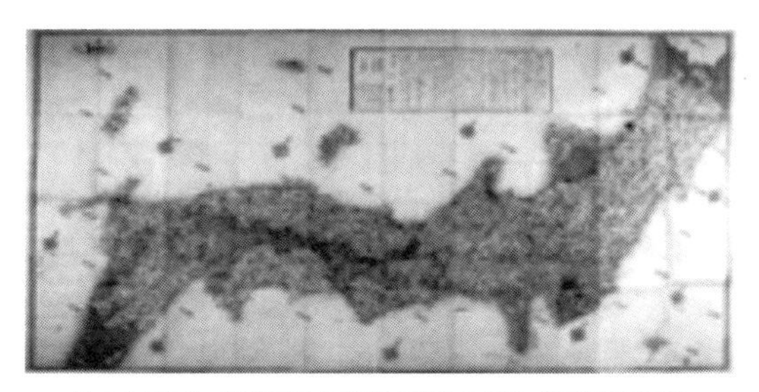

長久保赤水『改正日本輿地炉底全図』(初版1779)

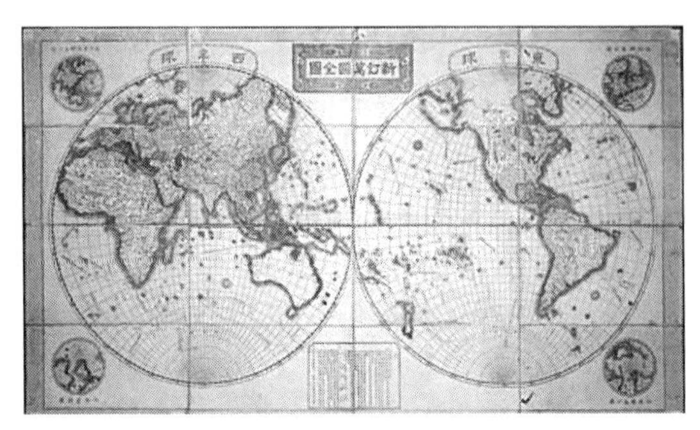

高橋景保の『新訂万国全図』(1817)

沿海輿地全図』(1821)を完成させ、その小図において北海道を日本の領域に加え、現在の日本領土の基本形が確立した。伊能と高橋の地図は、日本の領域と世界を正確に認識する画期となった。

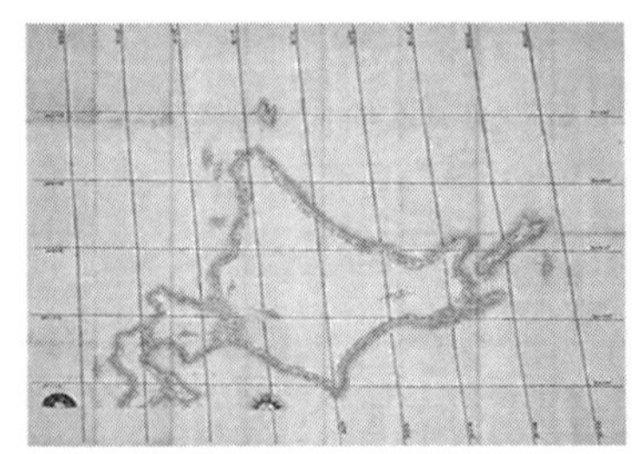

伊能忠孝:北海道図(1821)

近代:明治政府の領土画定とアジアの領域拡大

明治の始まり1870年時点のGDPは、産業革命を達成した英・米の1/4にすぎず、国家構築の基本を富国強兵におき国力強化に邁進した。人口増と富国強兵の結果、1870から1913年の43年間、人口は34百万人から52百万人の約1.5倍、経済規模は250億ドルから720億ドルに拡大し約2.9倍の成長を遂げた。

明治政府は近代国民国家として国力強化しながら領土の確定をす

大東亜共栄圏の最大版図（1942）

すめた。ロシアとは樺太･千島交換条約によって樺太をロシア領、ウルップ島以北の千島列島を日本領土とし（1875）、清との交流のあった琉球を沖縄県とし日本の領土に加えた（琉球処分、1879）。そして日清・日露戦争に勝利すると台湾を領土とし、満州の権益を獲得し樺太南部を領土に加え、産業革命を実現して経済力を高め大陸へ進出した。韓国を併合した（1910）。

大正期の1913年から敗戦時の1950年（敗戦後5年を経た時点である）の約37年間は二つの大戦の期間であり、人口で1.6倍、経済規模では2.2倍と順調な発展を遂げた。しかし、1913年の第一次世界大戦前夜において、日本の経済は世界の大国アメリカの1／7に過ぎず、総力戦の時代、米英と比べ経済力は明らかに劣後していた。

この時代には中国への進出を強め北東部に満州国を設立し（1932）、さらに大東亜共栄圏構想（1940）を掲げ､欧米勢力をアジアから排斥し、日本・満州国・台湾を中心に、フランス領インドシナ、タイ王国、イギリス領マラヤ、英領北ボルネオ、オランダ領東インド、イギリス統治下のビルマ、オーストラリア、ニュージーランド、イギリス領インド帝国を含む「日本を盟主とした東アジアの広域ブロック化」を推進した。そして、第二次世界大戦時の最大版図は 中国の一部、香港、マレー半島、マニラ、シンガポール、さらにインドネシア・ビルマなどに達した。

しかし、敗戦によってアジア大陸などの領土をすべて失い、北海道・本州・四国・九州の大きな島と周辺の小さな島からなる国になった。

現代：現在の日本と領土問題

第二次世界大戦敗戦直後の1950年から20世紀末のまでの50年間の人口と経済の変化を確認しよう。人口は84百万人から127百万人の約1.5倍・年率で約1.2%増、経済規模は1610億ドルから2兆6690億ドルに拡大し約16.7倍に達した。この50年でみれば、年平均約6%に近い高度成長を遂げたことになる。

日本は80年代には世界の10%を占めアメリカに次ぐ世界2位規模の経済大国となった。一人当たりのGDPも敗戦直後の1916ドル／人から約11倍の2万1015ドルに成長し、米国に匹敵する豊かな社会を実現させた。しかし、90年代初頭、アメリカとの激しい経済摩擦から内需拡大に転じて低金利政策をとると土地や株式への投資が激増した。そして、バブルの崩壊後の不況や人口減少をうけて年率1%程度の低成長の時代をむかえている。

こうした経済情勢のなか、領土をみると以下の三つの問題を抱えている。

1）択捉島・国後島・色丹島・歯舞群島の北方４島：対ロシア

ロシアとの国境策定は開国時の日露和親条約（1855）が始まりである。そこでは千島列島の択捉島以南を日本領、ウルップ島以北をロシア領、樺太については両国民の雑居地と定めた。その後明治政府は樺太・千島交換条約（1875）により全千島列島を日本領、全樺太をロシア領として国境を確定して国交を開き、日露戦争後のポーツマス条約（1905）によってロシア領樺太の南半分を獲得した。そして第二次世界大戦の直前にソ連と日ソ中立条約（1941）を結び両国の不可侵を確認した。

第二次世界大戦に日本が降伏すると（1945.8.15）、ソ連はヤルタ協定（1945.2）によって南樺太と千島列島がソ連領となったとし、日ソ中立条約を無視して日本に宣戦し、これらの島々を占領した（1945.8.25）。こうしたなか日本はサンフランシスコ平和条約（1951.9）において、戦前に領有していた台湾や朝鮮半島をはじめ南樺太と千島列島についての放棄を宣言した。

日ソ間の領土問題の根本はヤルタ協定時の千島列島の解釈にある。日本は日露和親条約以来、択捉島以南は日本固有の領土であって千島列島には含まれないとし、ソ連は択捉島・国後島・色丹島・歯舞群島も千島列島に含まれるとし対立を続けている。1956年の日ソ共同宣言では、「ソ連は歯舞群島および色丹島を日本国に引き渡すことに同意する。ただし、これらの諸島は平和条約が締結されたあとに現実に引き渡されるものとする」と述べられており、その返還交渉が今なおつづいている。

2）竹島：対韓国、北朝鮮

日本は固有の領土としている。サンフランシスコ平和条約が発効し日本の主権が回復する直前（1952.1）、韓国が軍事占領し現在も実効支配を続けている。朝鮮半島全体の領有権を主張する北朝鮮も竹島の自国帰属を主張している。

3）尖閣諸島：対中国、台湾

明治の琉球処分以降日本が領有してきた。しかし、1970年に国際連合が尖閣諸島周辺に鉱物資源の存在をしめす報告書を提出すると、以降、中華人民共和国と中華民国（台湾）が領有権を主張し対立が続いている。

2　日本史要約

本章では、日本史の原始古代・中世・近世・近代・現代の５区分を世界史の５区分と対応させながら、世界の動きと日本との関わりを確認し、そのうえで、政治・経済・社会・文化などの歴史と、源平の戦い、関ケ原の戦い、戊申戦争、日清・日露戦争、そして第一次・第二次世界大戦など時代を分けた軍事と戦いの歴史について要約する。

原始古代：日本の成立と古代国家の形成

（～12世紀前半）

世界の動きと日本：大陸（中国・朝鮮）との関わり

～5世紀まで（世界史の古代）

アジアでは、紀元前3500年ころ中国の黄河や長江の周辺に都市文明が興った。前3世紀初頭、秦が初めて中国を統一し、その後に漢がつづき大帝国へと発展した。漢の滅亡後は分裂の時代となり、3世紀の魏・呉・蜀の三国が並立し、4世紀には北方遊牧民の勢力拡大によって王朝が分立し（五胡十六国の時代）、朝鮮では高句麗・百済・新羅の三国が建ち、5世紀の中国は、長江の南北に王朝が建つ南北朝の時代となった。

日本では紀元前約3000年ころに部族社会が形成された。1世紀には漢との間に朝貢関係を築き、3世紀の卑弥呼は魏に遣使した。4世紀には朝鮮半島の南部に進出を果たし、鉄資源を確保し、百済を経由して大陸の文化を取り入れた。

6～12世紀前半頃まで（世界史の中世前半）

6世紀、中国では隋が統一を果たし、7世紀には唐が建ち大帝国へと発展した。朝鮮半島では新羅が統一を果たし、中国東北部に渤海が建国された。10世紀、唐が滅びると中国は再び分裂の時代となり（五代十国の時代）、朝鮮半島で高麗が建ち、中国では宋（960～1279）が諸国統一に成功し漢民族の政権を打ち建てた。

日本は、6世紀、中国統一の圧力がおよぶ朝鮮半島からの撤退を余儀なくされた。7世紀以降、中国が統一された隋唐の時代には、日本の政権は自らを独立国と主張しつつ遣隋使・遣唐使を送り大陸の制度や文化を学んだ（飛鳥・奈良・平安時代）。7世紀央、朝鮮半島の百済を再興すべく出兵したが唐と新羅の連合軍の反攻をうけ半島の足場を完全に失い（白村江の戦い）、8世紀央、唐が衰退に向かうと、9世紀末遣唐使の中止を決断し、以降、日本には独自の国風文化が花開いた。

旧石器・縄文・弥生・古墳時代：日本の成立と王権の誕生

旧石器時代・縄文・弥生時代

地質学の更新世後期、約12万6000年前から1万1700年前までの時代には日本列島に人類が到達し、その後、採集を主たる生業としながら集落をつくり、石器や土器を用いる社会が形成されていった。1949年群馬県岩宿（現みどり市）で更新世後期の地層である関東ローム層から打製石器が発見され、その後、全国各地の地層からも各種の打製石器が出土するようになり、日本においても考古学上の旧石器時代が3万5000年前から1万年前にかけて存在したことが明らかになった。

約1万年前の地質時代の完新世には地球は温暖化に向い、このころから日本列島の人類は狩猟採集をしながら新たな文化を生みだした。石器は研磨加工を施した刃先の長い形状となり、黒褐色や茶褐色で文様が描かれた土器がうまれ、この文化は北海道から南西諸島までの日本列島の北から南まで広がっていった。紀元前3000年ころ、日本語が成立し、日本語を話す集団として日本が成立した。紀元前1000年頃に日本に稲作が伝わり紀元前4世紀頃までには列島に広く普及した。この長きにわたる時代は縄目の特徴をもつ土器が多く出土し縄文時代（1万年前～前4世紀ころ）と呼ばれている。

前3世紀から、金属器を使用した水稲耕作が主たる生業となり、つぼ型など縄文土器と異なる特徴をもつ土器が出土している。土器発見の地、東京･弥生町にちなみ、この時代を弥生時代（前3世紀～2世紀）と呼んでいる。部族による小国が分立し、1世紀には中国の漢に遣使をおくり印綬をうけるなど既に大陸との交流が確認されている。

古墳時代

3世紀になると、部族社会が大きく成長し族長の墓として前方後円型の墳墓が各地に広まり、この時代は古墳時代（3～6世紀）と呼ばれている。

3世紀、部族連合の王として邪馬台国の女王･卑弥呼が台頭し、中国の「魏」に朝貢した。この時代の東アジアは北方民族と漢民族が激しく抗争し（五胡十六国の時代）、中国周辺の諸民族が自らの国家形成をすすめるなか、日本も、政治の中心を九州から瀬戸内海を経由して近畿地方に移し大和（奈良県）の族長が権力を強めた。

4世紀後半、大和王権は鉄資源を確保すべく朝鮮半島南部に進出し、中国東北部に興った高句麗が朝鮮半島を南進すると、朝鮮南部の百済と連合して戦いこの地を守った。この戦いによって乱を逃れた多くの朝鮮人が渡来し大陸や朝鮮の技術や文化を日本に伝えた。

5世紀、各地の王権は中国に興った南朝に朝貢した（倭の五王）。こうしたなか大和王権は本拠を河内平野へ移して国内統一をすすめ、大王として朝廷を組織した。各地の豪族に身分を示す氏・姓を与え、土地政策として朝廷の屯倉と豪族の田荘に分離した。そして地方支配の骨格として、新たに「国」という行政圏を設定し、その地方のもっとも有力な豪族を長においた（国造制）。6世紀前半にかけて王権が混乱するなか、北陸・越前の豪族の出とされる継体天皇が即位し、朝鮮半島進出めぐって対立する筑紫の国造・磐井氏の反乱を鎮

仁徳天皇陵（5世紀前半）

圧し、現天皇に繋がる天皇の体制が定まった。

この時代には、自然や祖先に対する信仰が引き続き、皇室の祖先神である天照大神をまつる伊勢神宮、大国主神をまつる出雲大社などがつくられた。朝廷の地方統一がすすむにつれて、それらの神々は由緒ある祖先神として朝廷の神話のなかに位置付けられ、6世紀には『帝紀』『旧辞』が成立した。

人々は、竪穴住居や掘立柱の建物に住み集落の人口も増え、食生活は多様化して豊かになった。これまでの野焼きの土器である土師器に加え、新たに朝鮮半島南部から高温で焼いた硬質で灰色の須恵器の制作が伝えられた。さらに百済を経由して、中国南朝の儒教や医・易・歴など学術とともに、仏教が伝わり（538説、552説）、寺仏に関連する土木・建築・金工などの新技術がもたらされた。

飛鳥・奈良時代：天皇と律令国家の形成

飛鳥時代

6世紀後半、大陸で中国の統一の動きが強まり、朝鮮半島で新羅が百済への圧力を強めるなか、大和王権は朝鮮南部の拠点・加羅を失い半島から撤退した。6世紀末、中国で隋が建ち400年ぶりの国内統一に成功した。大和王権は国家統一を急ぎ、中国の皇帝と並ぶ「天皇」を頂く国家を構築し飛鳥に都をおいた。この時代を飛鳥時代と呼ぶ。

6世紀末、推古天皇の甥の厩戸王が皇太子として摂政となり（聖徳太子）、台頭した蘇我氏と政治を担った。7世紀初頭、朝廷内人事の序列を定め（冠位十二階の制）、17条の憲法を制定し政治の骨格を固めた。

遣隋使として小野妹子を派遣し「日出ずる国の天子より日の没す

聖徳太子（574～622）

る国の天子へ」と述べ日本を中国と対等と主張し、隋の文化を学んだ。隋が滅び、唐が建つと遣唐使を派遣し唐の制度や国際色豊かな文化を吸収した。

7世紀央、中大兄皇子や中臣鎌足（藤原鎌足）らは蘇我入鹿などの一派を倒して権力を握り、中大兄皇子が皇太子として実権を握った。そして、隆盛する唐の中央集権的官僚支配体制を学び、改新の詔を発し、公地公民を定め、地方行政組織を整備し、戸籍・計帳を作成し6歳以上の男女に土地を与える班田収授を断行し、租・庸・調などの税制の導入を定めた（大化の改新）。

7世紀後半、朝鮮半島では新羅が統一をすすめ唐と結び百済を滅ぼした。皇子は日本と大陸との通交の要・百済を再興すべく大軍を派遣したが、唐と新羅の連合軍に完敗し朝鮮半島から撤退した（白村江の戦い、663）。そして唐や新羅の攻撃に備え大宰府に城を築き対馬と筑紫に防人をおいた。

7世紀末、天智天皇（中大兄皇子）が没すると皇位継承をめぐり全国の豪族をまきこむ内乱が勃発した（壬申の乱、672）。これを収めた天武天皇は、中国の「皇帝」と対置させて「天皇」を号として定め、姓を再編成して各地の豪族を皇室との遠近に応じて処遇する制度に改め（八色の姓）、皇族を要職につけた（皇親政治）。つづく持統天皇（天武天皇の皇后）は新たな都として藤原京を造営し、8世紀初頭、律の刑法と令の行政法を骨格とする政治の基盤が整った（大宝律令、701）。

経済は稲や布などの現物が交易の中心となり、和同開珎（銅銭）を発行し銭貨の利用が始まった。この時代には、中国、朝鮮さらに西アジアやインド・ギリシャの影響をも感じさせる法隆寺金堂や五重塔、薬師寺東塔が建立された（飛鳥・白鳳文化）。

奈良時代

8世紀初頭、元明天皇によって都が奈良にうつされた（710）。以降約80年間を奈良時代と呼ぶ。阿倍仲麻呂らの遣唐使は唐に学び、日本に新たな政治や文化、さらに仏教などの知識や文物をもたらした。

そして朝鮮半島を統一した新羅とは使節が往来し、中国東北部に建国された渤海と外交関係を結んだ。

聖武天皇は仏教によって国家の平和と安定をはかるべく（鎮護国家思想）、国ごとに国分寺・国分尼寺を建立する詔を出した。辺境の開拓が進み、東北に多賀城を設置し、九州南部や種子島を領土に編入した。土地の私有を認める農地拡大策をとり（三世一身法、墾田永年私財法）、貴族・大寺院や地方豪族などは原野を開拓し私領とした（荘園）。日本の国家意識が高まり『古事記』・『日本書紀』・『万葉集』・『風土記』などが編纂され、大陸文化を吸収しつつ壮大で華やかな仏教文化がうまれた（天平文化）。

平安時代：貴族政治と院政

8世紀末、桓武天皇は都を京都に移し平安京と呼んだ（794）。この時代を平安時代と呼び、12世紀末頃まで400年つづいた。

9世紀なると、平安京の整備に加えて東北の蝦夷を支配し、律令制の班田収受を見直し、有力農民の生産力を活用する新たな土地政策を導入した（公営田制）。9世紀後半には貴族の藤原氏が台頭し、天皇の幼少時は摂政、成人後は関白として天皇の政務を代行した。貴族の間で、華やかな唐の文化を摂取して漢文学が盛んになり、帰朝した最澄や空海により密教の文化がうまれた（弘仁・貞観文化）。

9世紀末、中国大陸では安史の乱を経て唐の衰退が明らかになり、菅原道真の建議により遣唐使が廃止された。10世紀前半には醍醐・村上天皇が政治を担い、後世、天皇による理想の治世と呼ばれる「延喜天暦の治」が展開した。10世紀後半からは摂政・関白が常置され、11世紀には天皇の母型尊属の貴族・藤原氏が広大な荘園による経済力を背景に勢力を強め、政治の中枢を担った。

こうしたなか、中央の貴族や寺社による荘園や国司による土地開発がすすみ、これに豪族や有力農民が加わって土地をめぐる争いが頻発した。こうした争いのなかで、馬に乗り弓矢をもち戦いを職とする武士（もののふ）が登場し、やがて武士は集合し武士団へと成長していった。

11世紀央、後三条天皇が即位して各地の荘園整理を断行し摂関家は大きな打撃をうけた。こうしたなか、中央の貴族や寺社などが私有する荘園と、国司が有力農民に請け負わせる公領を土台とする土地所有の構造が固まっていった（荘園公領制）。

この時代の文化は、唐の文化が貴族を中心とした日本人の感性や美意識によって磨かれ、日本独自の建築や平仮名・片仮名がうまれ、『枕草子』・『源氏物語』など物語文学が花開いた。貴族の住宅建築として寝殿造が現れ、日本の風景や風俗を描いたやまと絵がうまれた（国風文化）。

11世紀末には、摂関家にかわり、幼い天皇をたて、その父方尊属が上皇として政治を担う院政となり、白河・鳥羽・後白河の3上皇の約100年間続いた。そして、院と結びついた武士団の平氏や東国鎌倉を拠点とする武士団の源氏が荘園や公領を足場に大きく成長し、権力をめぐり激しく争った。地方では武士団と協力した豪族が勢力を拡大し、都の浄土宗の芸術をとりいれ、安芸の厳島神社や奥州・平泉の中尊寺などが建立された。また相次ぐ自然災害や武士の台頭などから民衆の間で厭世的な末法思想を背景に、阿弥陀仏を信じ極楽浄土への往生を願う浄土教が広がった。各地で阿弥陀堂が建ち、阿弥陀像が彫られ阿弥陀来迎図などの絵画が描かれた

軍事と戦い：軍団、騎馬武士団と水軍

縄文時代の人骨に戦いを示す殺傷痕が認められ、弥生時代には堀で守りを固めた環濠集落が一般的となるなど豪族の間でさまざまな戦いがあった。銅剣が朝鮮半島から伝来し3世紀、古墳時代の『魏志倭人伝』には倭で弓の原型が製造されたとの記述があり、国内で鉄製の刀剣や盾も製造されたと考えられる。4世紀末から5世紀初、倭は朝鮮半島に進出し、百済との同盟関係を構築して新羅や高句麗の軍勢と戦った。朝鮮の好太王の碑には「倭」の記述があり、これは大和の政権を指し、このころに大陸の騎馬民族の活躍をうけて軍馬

弓矢を持つ騎乗の武士と薙刀を持つ徒歩の武士（『平治物語絵巻』による）

を持ち帰ったとされる。

飛鳥時代、7世紀央、中大兄皇子は朝鮮半島に向け2～3万の軍勢を送ったが、唐と新羅の連合に白村江の戦い（663）で敗北した。以降、大陸からの侵攻に備え国内の軍事力を強化し、中央に兵部省を設置し、律令によって農民から兵士を徴収し「軍団」を組織した。この軍団は総勢約20万人に達し、兵士を九州防衛と北の蝦夷と対峙する陸奥国に配置し守りを固めた。

奈良時代、唐の衰えが明らかとなると、8世紀末、桓武天皇は国防を緩め、陸奥国・出羽国・佐渡国・西海道諸国を除き軍団組織を廃止した。そして、戦力として馬や弓を重視し、これに優れた者を選抜し育成する「健児の制」をしいた。

平安時代には、各地の行政区画（国衙）ごとに軍事権の裁量を認める「国衙軍制」をしき、馬上で使う日本刀や鎧が開発された。さらに海上交通の発達に伴い，海賊衆、警固衆と呼ばれ、普段は海上運輸に従事しつつ海賊行為も行なう武力集団（水軍）が瀬戸内、紀伊、熊野、九州西部などに現れた。各地で荘園など土地をめぐる戦いが勃発すると、弓矢と騎馬の軍団や水軍などを率い武力で鎮圧する実力者が台頭し（平将門の乱·939、藤原純友の乱·940）、彼らこそ武士の先駆けであった。

その後、武士団として特化した家系として桓武平氏や清和源氏などの「軍事貴族」が台頭した。源氏は朝廷と結んで地方の乱を鎮圧して東国に地盤を固めた（平忠常の乱・1028、前九年合戦と後三年合戦·1051～87）。さらに、源氏と平氏は皇室や摂関家の争いにも介入して争い（保元の乱・1156、平治の乱・1159）、平清盛が勝利し権力闘争の先頭にたった。このころには、広大な荘園をもつ寺社も自らを防衛すべく、薙刀をもち徒歩戦闘を主体とする僧兵を組織した。

中世：武家国家の形成

（12世紀後半～16世紀前半）

世界の動きと日本：元寇・倭寇とヨーロッパ世界とのつながり

12世紀のアジアでは遊牧民が力を強め、特に13世紀にはチンギス＝ハンの率いるモンゴル族が勢力を拡大し、騎馬部隊を先頭にユーラシア世界を席巻した。13世紀後半の5代目フビライは、宋を滅ぼし、中国を統一し元を建て、都を大都（北京）においた。

日本は、12世紀央の平氏が宋との貿易を推進したが、13世紀には元の九州侵攻をうけた（元寇）。鎌倉幕府はこれを撃退したが衰退が早まった。14世紀央、室町幕府の時代には朝鮮半島の高麗も混迷を深め、窮乏する九州の御家人や農民は朝鮮半島の海岸部などを襲う略奪行為におよんだ（前期倭寇）。

14世紀後半、中国では元にかわって漢民族の明が建国され、朝鮮半島では李氏朝鮮が建国された。ヨーロッパでは、14世紀頃からはルネサンス運動が始まり、15世紀末には大航海時代が幕を開け、ポルトガルは東からアジアに向い、スペインは西に向かってアメリカ大陸を発見しマゼランが世界一周に成功しフィリピン・マニラに拠点をおいた。

日本は、15世紀初頭、足利義満が実益を重視して明と朝貢関係を結び勘合貿易を推進し朝鮮・沖縄と交易した。16世紀は大航海時代がおよびポルトガル人が来航して鉄砲やキリスト教を伝えヨーロッパ世界とつながる画期となった。このころには明の海禁政策も緩み、日本の集団がヨーロッパ勢力を交え、日本の銀と中国の生糸を交換する密貿易を求めて中国沿岸を襲い（後期倭寇）、明の社会不安を高めた。

平安末期・鎌倉時代：武家国家の形成

12世紀央、平安時代末期、院と結んで力を得た平清盛が太政大臣につき日本初の武家政権が成立した（1167）。平氏は中国の宋との貿易をすすめ、その影響は経済や文化におよんだ。わずか20年後には平氏を倒した源頼朝が鎌倉に政権（幕府）を建て（1185）、後醍醐天皇の反乱（1333）まで約150年間続いた。これを鎌倉時代と呼ぶ。平

源頼朝（1147～1199）

氏政権から天皇や貴族に変わり武家が国家を統治する時代が始まった。

12世紀末、平清盛の専制的政権に対し後白河法皇の皇子・以仁王がその打倒を叫ぶと、源頼朝が呼応し平氏を破った（源平合戦）。頼朝は鎌倉に幕府を開き、配下の御家人（武士）を東国･関東の荘園･公領に守護や地頭として配置し（1185）、頼朝は征夷大将軍の地位についた（1192）。頼朝は主人として御家人の所領支配を保証し、この御恩を受けた御家人は従者として主人に奉公する双務関係を築いた。この土地の給与を通じた主人と従者の結びつきは封建関係と呼ばれている。

13世紀にはいると源頼家の母方の北条家が政治の中枢を担った。北条義時は鳥羽上皇による権力奪還の乱（承久の乱､1221）を鎮圧して全国支配を確立し、武家の根本法典として御成敗式目を定めた。

13世紀後半、元のフビライが日本に国書を送り朝貢を求めると幕府はこれを拒否し（1268）､二度にわたる侵攻を撃退した（元寇）。その後、三度目の襲来にそなえ拠点を大宰府から博多に移し、同時に有力な御家人を粛正し要職を北条家に集中させた。一方、御家人は元撃退による恩賞もなく、その所領も分割相続を重ねて激減し不満を高めた。幕府は徳政令を発したが御家人の生活は上向かず反発が強まった。そして14世紀前半、朝廷の復権を期す後醍醐天皇や西国の新興の武士が支持する足利高氏の反乱によって幕府は滅亡した（1333）。

鎌倉時代には農業生産が著しく向上し農民による手工業も発達した。そして、生活必需品や食料品などを中心に、港･河川の合流点、荘園内の空地､街道の宿場､社寺門前などで定期市が開かれた。中国から膨大な宋銭が輸入され、貨幣経済は都市から農村に広がり、納税も貨幣になり取引や貸付を担う金融業者も現れた。

武士層を中心に剛健な文化がうまれ、地方武士が京や、鎌倉を往復し、仏僧・商人・芸能人なども地方に出向き全国に文化が広がった。仏教にも新な動きがうまれ､浄土宗の「南無阿弥陀仏」､日蓮宗の「南無妙法蓮華経」など一つの念仏を唱える平易な教えが、財力もなく文字も読めない庶民や武士の間に広まっていった。

建武新政・室町時代：武家国家の変容

14世紀前半、後醍醐天皇は年号を建武と改め公家による新政権を復活させた（1334）。これ建武新政と呼び、３年間の短命な政権であった。その後、足利尊氏（高氏）が京都室町に幕府を建てて武家政治を再興し（1336）、幕府は織田信長による足利義昭の追放（1573）までつづいた。これを室町時代と呼ぶ。

室町幕府の成立と南北朝の並立

足利尊氏が光明天皇を擁立して征夷大将軍となり京都に幕府を開くと、後醍醐天皇も皇位を譲らず吉野に逃れ、京都の北と南に皇統が並立した（南北朝の時代、1336 ～ 1377）。

この時代の武士社会と農村社会は転換期にあった。武士社会は分割相続から一子相続となり、本家・分家による血縁社会が崩壊して地縁が強まり、地方にも土着の武士がうまれて独自の勢力を広げ新たな武士集団が形成された（国人）。農村社会も、近畿を中心に屋敷が耕地から分離した集落となり、惣や惣村とばれる自立的・自治的な村が形成され生産力を高めた。農民は領主の要求に抵抗する力をつけ時に武力蜂起を決行した（土一揆）。そして自立した武士は自立した農民をまきこみ各地で南と北の支持に分かれて争った。この混乱を収拾すべく、幕府が守護の権限を強化し年貢の半分を与えると（半済令）、軍備を強めた守護は荘園や公領を侵略し、配下の武士に年貢や土地を分け与え、領国として支配していった（守護大名）。

大陸ではモンゴル帝国が衰退し東アジアの秩序が崩壊し、朝鮮半島でも社会不安が高まり政治の混乱が続いた。こうしたなか、窮乏する九州や瀬戸内海沿岸の土豪・商人などは海賊集団をつくって朝鮮半島や中国沿岸を襲い、現地の人々を捕虜にして略奪し恐れられた（前期倭寇）。

足利義満（1358 ～ 1408）

南北朝の統一と義満の政治

14世紀後半の大陸では、元が滅び漢民族の明が建国され（1368）、周辺諸国は緊張の度を増した。こうしたなか、足利尊氏の孫・第3代将軍足利義満は南北の朝廷並立を調停し終結させた（1392）。明が日本を属国として位置づけ、「日本が貢物を明に献上し、それに明が日本に物を与える形式で貿易する」朝貢を求めると、15世紀初頭、権力の源として実益を重視する義満はこれに応じ「日本国王臣源」を名乗った。

15世紀前半、義満は明交付の証票を用いて交易を開始した（勘合貿易、1404）。義満は朝鮮や沖縄など周辺諸国との交易を進めた。朝鮮からは倭寇に反撃する対馬侵攻（応永の外寇、1419）をうけたが、その後朝鮮南部の三浦を拠点とし交易を復活した。沖縄で、南山・中山・北山の三王国分立を中山の尚氏が統一し琉球王国（1429）が建つと国交を結び、船をしたててスマトラ島・ジャワ島・インドシナ半島など東南アジア諸国間と交易し、特産品を朝鮮へ輸出した。

守護大名はさらに勢力を強め、農村で一揆が勃発するなどの社会不安が高まり、幕府は徳政令をだし沈静化をはかった。こうしたなか、足利義教は将軍権力を強化すべく守護大名の粛清をすすめ、鎌倉公方足利持氏を討伐すると（永享の乱、1438）、処罰の全国への拡大を恐れた播磨の守護大名が義教を殺害する事態となった（嘉吉の変、1441）。こうして幕府の弱体化をみた守護大名による勢力争いへと発展していった。

室町時代には産業が一段と発展し、稲の収穫が大きく増え、麦を裏作とする水田の二毛作が普及した。地方では守護大名の保護のもとで手工業者が成長し、定期市も頻度を増した。アジアとの交易がすすみ、新興の武士層は唐物を使った装飾などで人々を驚かせた（バサラ文化）。さらに武家文化と伝統的な公家文化が融合し、唐物や唐絵など大陸文化の影響を加えた新たな文化がうまれ、義満は伝統的な公家の寝殿造と大陸の禅宗様を融和させた金閣寺を築いた。また庶民によって能・狂言・茶の湯・生花などがおこり、日本文化の基盤が形成された（北山文化）。

戦国時代

15世紀後半になると守護大名の争いは、細川勝元と山名宗前を中心とする二大勢力の争いとなり、戦場となった京都は焼野原に化し（応仁の乱、1467～1477）、山城や加賀では一揆が勃発し社会不安が高まった。

こうしたなか、京都では禅の精神による簡素さと幽玄や詫の美意識を精神的基調とし和物への関心が高まり、足利義政は京都の東山に銀閣寺を建てた（東山文化）。公家などの文化人が荒れた京都を離れて地方の守護大名に保護を求め、京都の文化は地方へも広まった。

15世紀末には、諸国において守護代や国人などの家臣が主君をたおす下剋上の世へと発展し、甲斐の武田や信州の上杉などが自力で領国をもつ新たな支配者が誕生し（戦国大名）、この戦乱は約1世紀にわたりつづいた。戦国大名は自らの国の法を定め（分国法）、領国民を厳しく統制し、その中心に城下町を建設し、宿場や伝馬などの施設を充実させた。商品経済が浸透し交通網が発展し港町や宿場町が開かれ、寺社への巡礼が流行し門前町が生まれるなど、各地に新たな都市が誕生し自治によって運営された。

16世紀に入ると、朝鮮との交易は商人の間の紛争（三浦の乱、1510）

から縮小し、勘合貿易も博多商人と堺商人の争い（寧波の乱、1523）を経て衰退へ向かった。そしてヨーロッパの大航海時代がインド・東南アジア・中国を経て日本に及び、ポルトガルが鉄砲をもたらし（1543）、商船が平戸に来航し（1550）、キリスト教が伝った（1551）。戦国日本の政治・経済・文化・社会に新たな衝撃が加わった。

明が衰退にむかい、その海禁政策が緩むと、東シナ海や南シナ海では、勘合貿易に代わり、日本人、中国人、さらにはポルトガル人なども加わって武力で福建や広東の沿岸を襲い、日本の銀と中国の生糸の交換を主とする密貿易が横行した（後期倭寇）。明に対し北の遊牧民ともに大きな社会不安を与えた（北虜南倭）。

軍事と戦い：源平合戦・元寇・戦国大名の登場

12世紀末、全盛をほこる平氏に源氏が挑み、日本各地で陸と海で戦いを繰り広げて源氏が勝利した（治承寿永の乱・源平合戦、1180～85）。源氏の勝因は全国の武士と封建関係を結び、大軍が長期戦に耐え得る軍制の確立にあった。戦いでは、これまでの合戦では従者を従えた正規の武士が名乗りを上げるなどの戦闘の作法が守られたが、この乱以降、戦いが大規模化し騎射に習熟していない未熟な武士や村落の領主クラスまでもが参戦するようになった。合戦では禁止された相手の馬への攻撃や、馬による体当たり、そして馬を下りた際に使う太刀の馬上使用が増加した。

13世紀後半、フビライ率いるモンゴルは朝鮮（高麗）を率いた東路軍と、中国南部（宋）の兵を率いた上海経由の江南軍を構成し、二度にわたり、「てつはう」と呼ばれる火薬を使いながら北九州を襲った（文永の役・1274、弘安の役・1281）。幕府は沿岸に防塁を構築し、九州に所領をもつ御家人によって鎮西探題を設置するなど、長期にわたり大軍と戦う軍事力を保持し、西国武士たちの奮戦と大暴風雨の援護もあって撃退に成功した。

14世紀、鎌倉末期から南北朝時代の守護の軍団は農民から徴集される兵を加え一段と大規模化した。従来の騎馬に代わって集団戦・

文永の役：敗走する元兵（鎌倉時代後期・『蒙古襲来絵詞』）

接近徒歩戦を重視し、薙刀に代わり槍を使い、農民の一部を雇用して軽武装の歩兵にしたてた（足軽）。朝鮮沿岸などを襲う機動力の背景には水軍伝統と農民・漁民などの戦闘力強化にあった（前期倭寇）。

15世紀、守護大名は国人や農民を武装化して戦力強化し幕府へ反抗し（永享の乱・1438、嘉吉の変・1441、応仁の乱・1467 ~ 77）、15世紀末、守護から自らの領国を築くに至った大名は足軽を加えてさらに軍事力を強めた。戦国大名は家臣の統制を強化し領国内における知行（領地）に応じて軍役を課した。そして16世紀になると、武田信玄・上杉謙信・毛利元就・北条氏康など領国を経営する強力な戦国大名が出現し、数万の兵力を運用し戦いを繰り広げた（桶狭間の戦い・1560、川中島の戦い・1561など）。こうした軍事力強化を背景に再び倭寇が活発化した（後期倭寇）。

近世：幕藩国家の形成

（16 世紀後半～ 19 世紀末）

世界の動きと日本：戦国期の衝撃、江戸の鎖国体制構築と開国

16世紀後半～ 18世紀前半（世界史の近世）

アジアの東では、明が衰退して滅び、その後に清が建ち、アジアの西では、オスマン帝国、イラン・サファヴィー朝、インド・ムガル帝国などイスラームの大国が隆盛した。ヨーロッパのスペインが太平洋をおさえて世界の大帝国とへ発展し、蘭、英、仏も東インド会社を設立し交易に乗り出した。

日本にはヨーロッパ勢力の来航によって衝撃が広がった。ポルトガルがもたらした鉄砲は戦国時代の戦いの主力となり、キリスト教が広まり少年使節がローマに送られた。秀吉はキリスト教勢力の日本侵攻を読み取り禁教に動き、明の求めに応じ倭寇を取締り、明の弛緩をみるとスペインに対抗しアジア征服の野望から朝鮮半島に大軍を向けた。侵攻は秀吉の死去で頓挫し豊臣家は衰退に向かった（安土桃山時代）。

徳川家康は海外交易を推進し、朱印船をたて東南アジアに向かいタイなどに日本人町を開いた。中国で明から清へと政権交代すると、幕府は海外との窓口を長崎出島などの４か所に限定し、民間貿易を推進しつつオランダ商館長から海外事情を入手した（江戸前期）。

18世紀後半～ 19世紀末（世界史の近代）

世界ではイギリスの産業革命とアメリカ・フランスの民主革命がおこった。この二つの革命を経て米・英を先頭に国民が主権をもつ「近代国民国家」の構築がすすんだ。同時に欧米諸国は、自国産業を育成し、砲艦を前面に立て、インド、中国、東南アジアそして日本

などアジアに市場を求めた。アジア諸国では、欧米に激しく抵抗する一方、欧米流近代化への動きがうまれた。

日本にも、18世紀末、ロシア船が通商を求め、また欧米の捕鯨船が近海に出没するなど欧米勢力の進出が始まった。幕府は江戸湾に砲台を設置するなど体制の死守に動いた。しかし、19世紀央、アメリカのペリー率いる軍事的圧力の前に開国を余儀なくされ、米·英·仏などの欧米勢力による圧力と攘夷運動の混乱のなか、19世紀末薩長両藩は倒幕に動き、江戸幕府が滅亡した（江戸後期）。

安土桃山時代：織豊政権の全国統一

織田信長が京都に上って、室町幕府を倒し（1573）、豊臣秀吉が戦国の世を統一し、豊臣側が関ケ原の戦いで、徳川家康に敗れるまで（1603）、この時代を信長と秀吉の築城の地にちなみ安土桃山時代と呼ぶ。

16世紀後半、カトリックの再興をめざすイエズス会のザビエルによって伝えられたキリスト教は、多くの宣教師が来日して社会事業や医療活動などを展開し、農民·商人や武士の間に広まった。そしてポルトガル商船が長崎に来航し交易が始まり、貿易と一体化したキリストの布教は、実利の魅力もあり信者となる大名もあらわれ、大友宗麟·有馬晴信·大村純忠の3大名は宣教師ヴァリニャーニの意をうけ少年使節をローマに送った（天正遣欧使節、1582）。

織田信長は鉄砲隊を主力にする強力な軍事力によって戦国大名を駆逐し、楽市楽座など商工業者の自由を認め、ポルトガルとの貿易を推進するなど斬新な施策を試みた。しかし近江に安土城を築き全国の統一をすすめるなか家臣の明智光秀の手により敗死した（本能寺の変、1582）。

信長の全国統一事業は家臣の豊臣秀吉がひきついだ。秀吉は検地（1582）と刀狩（1588）を断行し社会の基盤を整えた。検地によりこれまでの荘園公領制は崩壊し、全国各地を石高で管理する体制を整え、村ごとの石高を定め年貢として納入させた。全国の大名に領国

織田信長（1534 ~ 1582）　豊臣秀吉（1537 ~ 1598）

の国絵図と検地帳を提出させ、石高に応じ軍役奉仕も定めた。さらに刀狩によって農民から武器を没収して農業に専念させ、身分統制令を出し武家奉公人・町人・農民の間で移動を禁止した。

この間、キリスト教団イエズス会が地域の神社や寺院を破壊しながら信者を増やし、スペインが平戸に来航すると（1584）、秀吉はキリスト教勢力の日本進出への危機感を高め布教を禁止した（宣教師の国外追放令、1587）。そして明の求めにより倭寇（後期倭寇）をとりしまった（1588）。

秀吉は、小田原を平定して有力大名の徳川家康を関東に移封し、奥州を平定して日本統一を完成した（1590）。豊臣政権の財政は、直轄領の収益と佐渡相川・石見など鉱山による金銀収益を基礎とし、京都・大坂・堺・長崎など重要都市の豪商の経済力を活用した。朱印船制度を定め、堺・長崎・博多などの豪商に東アジア進出を奨励しマニラにも日本人町を建設した。日本にはヨーロッパの鉄砲・ラシャ（毛織物）・シャボン（石鹸）や中国の生糸・絹織物などがもたらされ、日本の石見やスペインが太平洋を横断しボリビアから運んだ銀が交易の主役になった。

天下を統一した秀吉は巨大な軍事力を構築し、ポルトガルや世界最強国家フェリペ二世のスペインに対抗し、衰退する明をみてアジア征服の野望を抱き朝鮮半島に大軍を向けた（文禄・慶長の役、1592

～98)。この戦いは秀吉の病死によって頓挫し、豊臣政権は膨大な兵力と戦費を失った。こうしたなかで徳川家康が台頭し東の諸大名を率い、西の豊臣氏を支持した石田三成、小西行長らを関ケ原の戦いで破った（1600)。

この時代には新しく支配者となった武士や大きな富を得た豪商によって清新で華やかな文化が生まれた。仏教色が薄れて現世主義が強まった。建築では石垣や重層の天守閣をもつ城郭が建てられ、狩野派による障壁画などで飾られた。千利休は茶道を確立し、民衆に出雲の阿国による女歌舞伎が人気となり、人形浄瑠璃も生まれた（安土桃山文化)。ポルトガルやスペインとの南蛮貿易が盛んになり、南蛮風の衣服を着て菓子を食べタバコを吸う者も現れた。宣教師の布教と共に天文学・医学・航海術などの学問や眼鏡・時計などの日用品が伝わり、イエズス会はキリスト教関連の本などを出版した（南蛮文化)。

江戸時代（前期）：幕藩体制の構築

17世紀初頭の江戸幕府成立から（1603)、19世紀末の明治新政府樹立（1867）までを江戸時代と呼ぶ。関ケ原の戦いで勝利した徳川家康は征夷大将軍となり、江戸に幕府を開いた。

家康は戦国大名の領国と秀吉による検地や刀狩りを基盤とし、中央の幕府と地方の藩からなる幕藩体制を構築し、士農工商の身分制度を定めた。幕府は家臣団を直属にもち（旗本)、巨大な軍事力と財政力を誇った。藩の大名の居城は一国一城とし、武家諸法度により政治・道徳上の規範、治安維持の規定、儀礼などを定めた。そして村には村役人を配置し統制した。

家康は海外交易を推進した。家康は商人に将軍の海外渡航許可印をもつ朱印状をあたえ（朱印船貿易、1604)、島津氏らの九州の大名や長崎・京都の豪商はフィリピン、東南アジアのアンナン・カンボジア・シャムなどに向かった。秀吉の朝鮮侵攻以降、国交が途絶えていた朝鮮とは対馬藩主・宗氏の仲介によって通商を結び、徳川将軍の代がわりに慶賀使節を派遣することになった（朝鮮通信使、1607)。

琉球は薩摩の島津氏が出兵して支配し（1609）、オランダやイギリスとの通商をつづけた。しかしスペインとの貿易は京都商人の田中勝介をメキシコに派遣し通商を求めたが不調に終わり（1610）、仙台藩主伊達政宗も家臣支倉常長をメキシコ・スペイン・ローマに送りローマ法王の謁見を実現したが、メキシコとの貿易交渉は実現できなかった（慶長遣欧使節、1613〜20）。この間、家康は将軍職をわずか４年で子の秀忠を第二代将軍とし、自らは大御所として政治の実権をにぎり、大坂城を拠点に豊臣家を継承する秀吉の子秀頼を粛正し徳川の天下を確立した（大坂の陣、1614〜15）。

三代将軍家光は幕府体制を強化した。参勤交代制を定め、さらに九州でキリスト教をかかげた農民一揆を鎮圧すると（島原の乱、1637）、キリスト教を根絶すべく、家ごとに信仰する宗旨・宗派を取り調べる宗門改めを断行した。

このころ中国で満州女真族のアイシンが国力を高め明の衰えが明らかになると、海外への窓口を北方の松前藩（現北海道・渡島半島）、

徳川家康（1543〜1616）

朝鮮の対馬藩、琉球の薩摩藩、オランダ・中国の長崎出島の４か所に限定し、対外貿易の管理と海上の治安維持の体制を固め、オランダ商館長から海外事情を入手した（鎖国体制、1641）。中国ではアイシンが国号を清と改めて明を滅ぼし（1944）、以後、中国伝統の海禁政策によって海域の安定化をすすめた。

17世紀後半の家綱と綱吉は武家諸法度を改め、朱子学（儒教）を基礎におく文治政治を展開した。武士に求められることも、これまでの「弓馬の道」から身分秩序を重んじる「忠孝・礼儀」へと変わった。金・銀・銅の三貨が鋳造され、両替商などの金融が整備され、東廻り・西廻りの海運網によって全国交通網が成立して産業が発展し、江戸・大坂・京都の三都は著しい繁栄をみせた。

町人文化が花開いた。松尾芭蕉は俳諧を確立し、井原西鶴は人間の本能をえがき、近松門左衛門は歴史物を中心に人気を博した。絵画では狩野派や尾形光琳が斬新な装飾的作品を残し菱川師宣は版画を創始した。歌舞伎は男優だけの野郎歌舞伎になった。建築では日光東照宮など霊廟建築が建てられ、数寄屋造の桂離宮がうまれた。学問では水戸藩によって『大日本史』の編纂が始まった（元禄文化）。

17世紀末になると幕府は財政難に陥った。綱吉は荻原重秀による貨幣改鋳策をとり、家宣は儒学者の新井白石を登用した緊縮財政策をとった。そして18世紀前半には吉宗が就任し、家康の時代への復古をスローガンに新田開発や年貢強化による財政再建を断行した（享保の改革、1716～45）。人材登用をはかり、洋書の輸入を緩和して広く世界に目を向け、市中の訴訟の話合解決や目安箱をおくなど民衆の声を聞いた。しかし百姓は年貢強化のなかで生活に困窮し、飢饉がおこると一揆や打ちこわしがうまれた（享保の大飢饉、1732）。

江戸時代（後期）：幕藩体制の動揺と開国

18世紀後半には相次ぐ災害をうけ幕府や藩の財政はさらに厳しさを増した。老中に就任した田沼意次は都市に台頭した大商人など民間の力を活用する積極策をとり、印旛沼・手賀沼の干拓や蝦夷地との交易による財政再建を試みた（田沼時代）。積極策は政治の腐敗をまねき、さらに凶作、冷害、浅間山噴火による社会不安の高まりのなか（天明の大飢饉、1783～86）、田沼は失脚した。

18世紀末、老中松平定信は田沼派を一掃し享保の改革を理想に財政緊縮策に転じた（寛政の改革、1787～93）。農民の出稼ぎを禁じ、倉を設けて米の備蓄（囲米）を命じ、江戸では、町費節約や犯罪の自立（人足寄場）などを支援し、同時に華美をいましめ風俗矯正や出版統制を断行した。武士には文武を求め、旗本・御家人には負債の整理を要求し、道徳を重んじ朱子学を振興した（寛政異学の禁）。

このころの江戸は京都や大坂をしのぐ繁栄をみせ、特に寺子屋などによって庶民の学力が向上し、庶民が和歌や俳句を楽しんだ。町民の姿を描いた十返舎一九や滝沢馬琴などの小説が人気を集め、俳諧では与謝蕪村や小林一茶が活躍した。菱川師宣の浮世絵版画は、絵師・彫師・摺師画が係わる総合芸術として発展し安価で大量に制作された。落語や講談などの演芸が盛んとなり、正月の年神、祖先の霊をむかえる盆、春祭り・秋祭りなど、これまで武士や貴族社会の習慣であった年中行事が広まった（化政文化）。国学や水戸学などの新たな日本思想も芽生え、杉田玄白による蘭学が洋学として発展した。多くの藩校が設立され、幕府は幕臣の朱子学教育の拠点とし昌平坂学問所を設置した。

18世紀末から19世紀前半にかけては、ロシア船が通商を求め、さらに欧米の捕鯨船が日本近海に出没するなど日本周辺に緊張が高まった。伊能忠敬は蝦夷地の形状を測量し、幕府は江戸湾に砲台を設置して守りを固めて異国船打払令を出し（1825）、鎖国体制の死守に動いた。そして水戸藩の藤田東湖・会沢安らは国家独立を維持すべく、国学をもとに尊王を核とする国防を説いた。

このころの中央・地方では財政難と政治の腐敗がすすみ、同時に東北や北関東の冷害による米の凶作がおこった（天保の飢饉、1833～39）。さらに米不足から武士のなかから飢饉救民の乱がおき（大塩平八郎の乱、1837）、幕府は危機を叫ぶ渡辺崋山などの洋学者を弾圧した（蛮社の獄、1839）。こうしたなか、農村では田畑の再開発などの農村

ペリーの黒船来航と横浜上陸（1854）

の復興運動がおこり（二宮尊徳の報徳社運動など）、薩摩藩や佐賀藩など西南の各藩では藩営の専売制や工場を設立し藩独自の財政改革が試みられた。

幕府は水野忠邦を登用し、財政再建を試みた（天保の改革、1841～43）。忠邦は、享保・寛政の両改革にならって倹約・風俗粛正を求め、農村復興のための帰農をすすめ、物価引き下げなどの諸改革を行なった。そして江戸・大坂の一部の天領化に動くと諸藩は激しく抵抗し、忠邦は失脚し改革は失敗に終わった。

19世紀央、アメリカのビッドルが浦賀に来航して、通商を求めた（1846）。続いてペリー率いる軍艦が浦賀沖に来航し、翌年には開国の要求を拒否できず日米和親条約（1854）を結び、その後日米修好通商条約（1858）に調印した。

開国に伴って物価が騰貴し、社会は混乱した。そして幕府の政治が次期将軍の擁立問題や開国の是非をめぐり動揺するなか、水戸藩は、天皇を政治の中心において外国勢力を打ち払う尊王攘夷を主張して幕府を激しく攻撃し、この運動は公家勢力を巻き込み各地に広まった。主力となった長州藩は幕府と衝突を繰り返すなか、欧米列強の力に対する幕府の限界をみぬき、薩摩藩と連携し倒幕へと動いた。そして欧米列強と対峙し日本の独立を守るため政権をいったん朝廷に返し、朝廷の下で諸藩の合議によって新政権を構築すべしと主張した（公議政体論）。将軍慶喜はこれに応じ（大政奉還、1867）、二百数十年にわたった江戸幕府は滅亡した。こうした社会の激動のなか、民衆宗教による世直しが叫ばれ、農民の一揆や打ちこわしもおこった。

軍事と戦い：鉄砲の登場、関ケ原の戦い、開国と内乱

16世紀、世界では鉄砲と歩兵を主力とするオスマン帝国が騎馬軍団のイラン・サファヴィー朝を破り（チャルドランの戦い、1514）、騎馬から鉄砲と歩兵の時代への転換が明らかになった。日本でも、伝来した鉄砲が戦国の戦いを一変させた。織田信長・徳川家康の連合軍は鉄砲を主力に武田の騎馬軍団を破り（長篠の戦い、1575）、以降、鉄砲の国産化と改良が本格化し日本は世界最大の生産国にもなった。

16世紀末、秀吉は20万人規模の大軍を編成して全国を統一した（四国平定・1585、九州平定・1587、小田原奥州平定・1590）。アジア征服を狙い北九州・名護屋に拠点を設置し、5万余の大軍を朝鮮に派兵し（文禄の役、1592）、さらに14万余の兵を朝鮮に送った（慶長の役、1597）。遠征では、釜山から開城までの朝鮮半島内の陸路が兵員・食料の輸送の隘路となり、秀吉の死去によって頓挫した。豊臣軍は弱体化し、徳川家康が豊臣を破り政権を確立した（関ケ原の戦い・1600、大坂の冬の陣・1614、大坂夏の陣・1615）。

17世紀前半の家光以降は、海禁政策と文治政治を前面に約200年の平和を享受した。これによって日本の軍事力は海外に大きく出遅れ、18世紀末、ロシアなど欧米艦船が日本に接近すると急ぎ海防に着手した。19世紀央には薩摩藩などが兵器の国産化に動き、アヘン戦争など海外事情を学んだ佐久間象山などが大砲を鋳造したが間に合わず、開国直後、蒸気軍艦など武器の大半をオランダから輸入し長崎に海軍を設立した（海軍伝習所、1855）。

19世紀後半、開国後の国内では尊王攘夷運動が高まり混乱が深まり、列強の圧力が強まるなか、幕府の運動弾圧や水戸藩による幕府要人暗殺、外国勢力との衝突、そして幕府と公家・長州など攘夷勢力の間の戦いが続いた（安政の大獄・1859、桜田門外の変・1860、坂下門外の変・1862、生麦事件・1862、薩英戦争・1863、八月十八日の政変・1963、天誅組の変と生野の変・1963、池田屋事件・1864、禁門の変あるいは蛤御門の変・1864）。幕府は長州征伐を断行し（第一次長州征討、1864）、これに呼応し英・米・仏・蘭の4か国も攘夷の主力・長州に圧力を加えた（四国連合艦隊下関砲撃事件・1864）。

しかし、長州藩の藩論が攘夷から倒幕へと転換し、薩摩藩も軍事力の充実を目的にイギリスに接近した。幕府側はフランス公使ロッシュの援助を得て軍事改革をすすめ、再度の長州征討を宣言したが（第二次長州征討宣言、1865）、土佐の坂本龍馬を中心として長州と薩摩は同盟を結び（1866）、長州藩が幕府の拠点・小倉城を落城させると幕府は窮地に陥り（長州再征中止、1866）、大政奉還に応じた。

近代：立憲君主制国家の構築と世界との戦い

（19世紀末～1945）

世界の動きと日本：日清・日露の戦いと二つの世界大戦

19世紀末、スエズ運河やアメリカ大陸横断鉄道を利用する世界一周ルートが成立するなど、人・モノ・金・情報が行きかう「地球世界」が成立した。欧米勢力は米・独を筆頭に電気・石油などを用いる第二次産業革命を達成して経済や軍事の力で世界を凌駕し（列強）、アフリカ分割など自国経済圏を拡大する動きを強めた（帝国主義）。

日本は新政府を樹立し、欧米列強の圧力から防衛すべく富国強兵を国是におき、立憲君主制国家を成立させた。そして、安全保障上の要地・朝鮮を確保すべく清と戦い、これに勝利して台湾などを獲得した（日清戦争）。

20世紀にはいるとヨーロッパで独墺伊の三国同明と英仏露の三国協商に分かれ第一次世界大戦が勃発した。戦いは海洋の自由などを掲げる（ウィルソンの14か条）米国の支援を受けた協商側が勝利し、この間にロシアは革命によって共産主義国家・ソ連となった。戦後世界平和を目指す国際連盟が発足した。

日本はイギリスと同盟して朝鮮に南下するロシアを退け（日露戦争）、中国東北部（満州）に進出を果たし、さらに韓国を併合し、国力を高め、列強の一角へと成長した。立憲国家・日本の勝利は世界に大きな影響を与え中国では革命が勃発し中華民国となった（辛亥革命）。大戦では、日英同盟によって参戦して勝利の側にまわり国際連盟の理事国として国際協調に務めた。

1929年ニューヨーク市場の株価が暴落すると世界恐慌へと発展した。「持たざる」国の独と伊が経済圏拡大に動くと、「持てる国」の英米などは連合を組み、1939年第二次世界大戦へと発展した。英米はこの戦いを民主国家と専制ファシズム国家との戦いと位置付け（大西洋憲章）、1945年、戦いは英米側の勝利で終結した。

日本は恐慌がおよぶと軍部が台頭し、経済圏を確保すべく満州国を樹立するなど大陸進出を一段と強め、国際連盟を脱退し中国との戦端を開いた（日中戦争）。そしてヨーロッパで第二次世界大戦が勃発すると、独伊との三国同盟を決断し、41年12月ハワイを奇襲して米に挑んだ（太平洋戦争）。戦局は42年のミッドウェーの敗戦から劣勢となり、45年ドイツ、イタリアにつづき、日本も広島と長崎に原子爆弾が投下され無条件降伏した。

明治時代（1868～1911）：近代国家構築と大陸進出

19世紀末、明治天皇が即位した。この明治天皇在位の時代を明治時代と呼ぶ。

明治新政府の成立

薩長両藩は王政復古の大号令を発し、急進派の公家岩倉具視と武力政変を決行して徳川氏を排除し、天皇を中心におく新たな政権を発足させた（1868)。そして、五か条の誓文を交付し、抵抗を続ける会津藩などの東北諸藩をおさえ日本統一に成功した（戊申戦争、1868～69)。日本は、独立と欧米列強に匹敵する富国強兵を国是とした。

江戸を東京にあらため、版籍奉還と廃藩置県を断行し中央集権制度を確立した。四民平等を定め、地主・自作農の土地所有権をみとめて租税制度を固め（地租改正)、海外事情を視察する岩倉欧米使節団（1871）を派遣した。徴兵令を交付し、北海道に屯田兵制度を創設して北の守りを固めた。清やロシアと国交を開き、朝鮮を開国させ、そして南の小笠原列島領有を宣言し、琉球王国を沖縄県とし日本の領土に組み入れた（1871～79)。

殖産興業をスローガンに欧米の近代技術・社会制度等の導入を図り、学制の施行、留学生の派遣、御雇外人を招いた。民間では新聞や雑誌が発行され、福沢諭吉などの明六社の啓蒙活動等が盛んになった。鉄道や蒸気船が走り、郵便が開始され、西洋館が建てられ、ガス灯が設置され、洋服・洋食などが国民の間に広まった（文明開化)。

こうしたなか板垣退助らは新政府の政治は薩長など藩出身者による専制だとして議会の設立を要求し（民選議院設立の建白、1874)、運動は政府に不満をもつ士族へ広がった（自由民権運動)。不満は廃刀令や家禄制度の廃止によってさらに高まり、西郷隆盛を首領とする鹿児島士族ら約４万人の内乱へと発展した（西南戦争、1877)。政府は鎮圧に成功したが、自由民権運動は全国規模の国会開設要求となった（国会期成同盟設立、1880)。

こうしたなか北海度の官業払い下げ問題や財政再建問題で政府は苦境に陥り、これを打開すべく国会開設に動いた。そして大隈重信らによるイギリス流議会の設置の主張を退け、ドイツ流の強い君主権限をもつ天皇と議会をもつ憲法制定の方針を固めた。そして、大隈を更迭して、1890年の国会開設を宣言し（明治14年の政変、1881)、伊藤博文をはじめとする薩長派の政権のもと憲法制定に着手した。日本銀行を設立し貨幣・金融などの経済制度を整備し（1882)、日本経済は紡績や鉄道などの多くの企業群が勃興するなど成長の軌道にのった（1886-89）。

立憲君主制国家の成立、日清・日露戦争の勝利と満州進出・韓国併合

89年2月、立憲君主制憲法（大日本帝国憲法）が発布され、翌年第一回帝国議会が開催された。欧米列強によるアジア・太平洋への進出が強まり、さらに隣国朝鮮をめぐり清との緊張の高まるなか、首相の山県は「一国の独立を維持するには、単に主権線（日本の領土）を守護するにとどまらず､進んで利益線（隣接地域）を保護しなければならない」と述べ、日本の対外政策の基本を明らかにした。そして、この年には天皇制国家体制の理念を国民で共有すべく教育の基本を掲げた教育勅語が発布された。

日本は列強に先駆けて朝鮮進出をねらい、朝鮮を属国とみなす清との間で対立が深まった。朝鮮で政府の専制政治に対する農民の反乱がおこり（甲午農民戦争〈東学の乱〉、1894）、この鎮圧をめぐる対立から両者の戦端が開かれた（日清戦争、1894-95）。日本は清の北洋艦隊を撃破などして戦いに勝利し、朝鮮を独立させて韓国とし、遼東半島・台湾・澎湖諸島の譲渡、賠償金2億テールの支払いなどを認めさせた（下関条約）。講和条約調印後、満州進出を狙うロシアが独・仏を巻き込み、日本に遼東半島の清への返還を勧告すると（三国干渉、1895）、国民の不満が高まるなか、これをやむなしとうけいれた（臥薪嘗胆）。清の賠償金による軍備拡張、産業振興などの政策決定にあたっては、これまでの藩閥勢力に代わり、議会の政党の重要性が増した。そして大隈重信を首相とする初の政党内閣が組織され、参政権を拡大し、欧米諸国との不平等な対外条約の改正にも成功した。

20世紀にはいり欧米列強は清の内乱に乗じ（義和団事件､1900）､中国進出を強めた。特にロシアが満州に駐留し、さらに朝鮮への南下の動きをみせると、日本は共にロシアと対峙するイギリスと同盟を結んだ（日英同盟、1902）。そしてロシアとの戦端を開き、日本海海戦に勝利するなど戦いを優勢にすすめた（日露戦争､1904-5）。ロシア

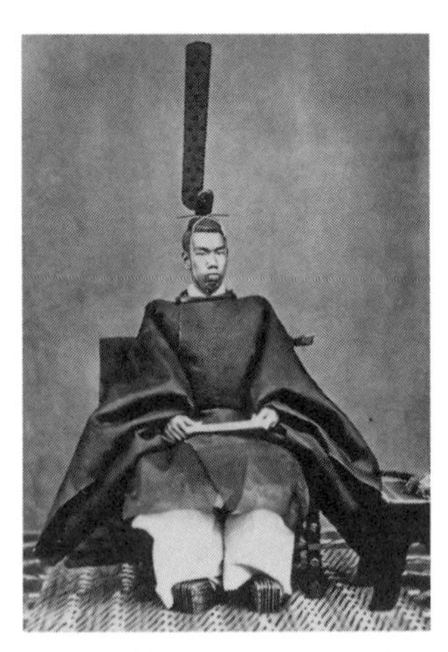

明治天皇（1852～1912）

で民衆蜂起が勃発するなか（血の日曜日事件、1905）、アメリカの仲介を得て講和し、旅順・大連などの租借権や南満州の鉄道などの権益を獲得した（ポーツマス条約）。そして南満州鉄道会社（満鉄、1906）を設立し中国大陸経営の基盤を固めた。

その後日本は中国進出で競合するアメリカを帝国国防方針において仮想敵国と位置づけ（1907）、アメリカも日本を敵性国家とし、大西洋艦隊を日本近海に回航させるなど（白船事件、1908）、日米関係は冷却へ向かった。こうしたなか、日本は大陸への入り口である韓国の支配を強めるべく併合した（韓国併合、1910）。一方中国では、日本のロシア勝利によって世界で立憲国家構築の運動が高まり、孫文による辛亥革命（1911）が勃発し中華民国が建国された。

日本の産業は日清戦争後には紡績などの軽工業分野で、また日露戦争後には、官営八幡製鉄所が稼働するなど重工業分野で欧米水準に達した。工場労働者が急増し各地に労働組合がうまれ社会主義思想が芽生えた。東京や大阪などの大都市の人口は急速に膨張し、日本の人口も明治初年の約3300万が、明治末期には約5200万に達した。こうして日本は軍事・経済の強国として列強の一角に加わった。

大正時代（1912～1925）：第一次世界大戦と日本

明治天皇が崩御し大正天皇が即位した。大正時代をむかえ軍や官僚のおす元軍人桂太郎が自身三度目の首相に就任すると立憲制擁護を叫ぶ内閣打倒運動が昂揚し、政党人の大隈重信が再び首相に就任した（大正政変、または第一次護憲運動、1913）。

ヨーロッパで第一次世界大戦（1914～18）が勃発し、イギリスと同盟を結ぶ日本は英・仏・露の三国協商側にたち参戦し勝利した。大戦の間、欧米列強の中国進出は中断し、日本はこれを好機として中国に圧力を加え、ドイツのもつ権益を獲得し南満州の鉄道権益の延長などを承認させた（二十一か条の要求、1915）。ロシアで共産主義革命がおこると革命の拡大を恐れ同盟国とともにシベリアへ出兵した（1918～22）。国内は大戦により空前の好景気をむかえたが（大戦景気）、米価の急上昇などで社会不安が高まり（米騒動、1918）、元老の山県らは民意に配慮し立憲政友会の原敬を起用し、陸軍・海軍・外務大臣をのぞく全閣僚を党員から選ぶ本格的な政党内閣を組織した（1918）。

大戦後、パリ講和会議が開催された（1919）。民族自決運動が世界へ広がり、朝鮮では日本の併合に抗議して独立運動がおこり（三・一独立運動）、中国では日本のドイツ権益継承に抗議する反日運動（五・四運動）がおこった。国際連盟が発足し（1920）、アメリカは議会の反対で連盟に加入せず、日本は戦勝国として英・仏・伊と共に常任理事国となった。そして、平和維持・軍縮の国際秩序としてヨーロッパのヴェルサイユ体制とともに東アジアにはアメリカの主導によるワシントン体制がしかれ（1922）、日本も国際協調を推進した（幣原外交）。こうしたなか、国内は一転して深刻な不況となり（戦後恐慌）、社会運動や労働運動が高まり日本共産党が結成された（1922）。

23年、関東地方は突如大震災に襲われた（関東大震災）。東京の復興に向け貴族院・官僚勢力を基盤とする非政党内閣が復活し、大正政変につづく立憲制擁護の内閣打倒運動が高まると（第二次護憲運動、1924)、憲政会の加藤高明が連立内閣を組織して復興の責を担った。そして男子による普通選挙法を成立させて民意重視を訴え、同時に社会秩序を維持すべく治安維持法を成立させた(1925)。一方、中国では孫文が中国国民党を結成し、ソ連のコミンテルン運動(国際共産主義)をうけて成立した中国共産党と共闘し、中国統一を打ち出した(第一次国共合作、1924)。

大正時代は、吉野作造が民衆の利益と幸福を目的として民意を重視する政治運営を訴えるなど(民本主義、1916)、民主主義的風潮が強まった(大正デモクラシー)。義務教育が普及し高等教育の拡充によって知識層の厚みが増して文化の発展を支え『キング』などの大衆誌が創刊されラジオ放送も始まった(1925)。そして都市は俸給生活者を中心に膨張し、交通・住宅問題などが大きな社会問題になった。

昭和時代(1926〜45):軍部の台頭と第二次世界大戦

金融恐慌と中国進出

1926年大正天皇が崩御し昭和天皇が即位した。昭和に入ると大戦後の不況と震災による不良債権問題から銀行の取付け騒ぎがおこり(金融恐慌)、モラトリウム(支払猶予令)と日本銀行からの非常貸出が断行された。中小銀行の倒産が相次いで三井・三菱などの大銀行に整理統合され、大銀行を中核とする大財閥が経済界を支配し政治への発言力を強めた。一方、中国では、国民党の孫文が死去して蒋介石がつづき、英米の支援を得て満州など北部軍閥の掃討(北伐、1926)に動き、クーデタによって共産党と袂を分ち、南京に国民政府を樹立した。これをみた、日本の軍部・財閥や新たに中国に利権を得た実業家などは、対中不干渉政策をとる幣原外交を「軟弱外交」として激しく非難した。

27年陸軍出身の田中首相が就任し、幣原外交を転換し、武力による中国権益堅持を打ち出した(田中外交)。日本の権益を守るべく山東に出兵し(山東出兵、1927〜28)、さらに現地の日本軍(関東軍)も日

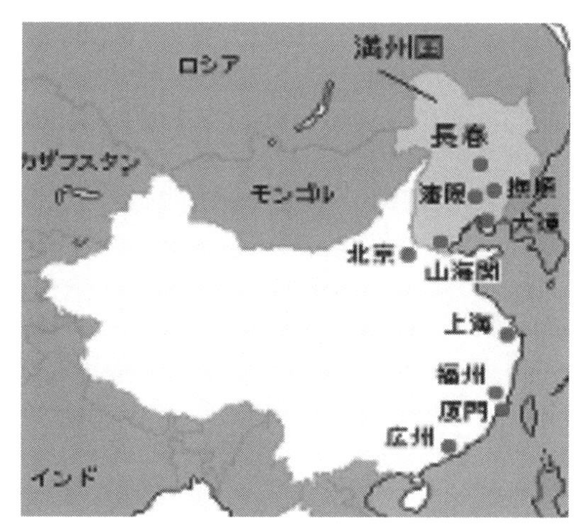

満州国の位置、首都は長春（日本名新京）
すでに1910年朝鮮を併合し北東アジアを圏内におさめた。

本との連携を拒否する北部軍閥の張作霖の爆殺を強行した（1928）。しかし張作霖の子・学良が中国国民政府の傘下に入ると、満州の権益拡大をもくろむ日本の政策遂行は厳しさを増した。こうしたなか、田中内閣は最初の普通選挙を断行し無産政党が議席を得ると治安維持法を発動し共産主義者を検挙し国内の引き締めを図った。

世界恐慌と軍部の台頭・満州国樹立

29年、好況が続くニューヨーク株式市場の株価が大暴落し恐慌は世界へ広がった（世界恐慌）。30年、井上蔵相が懸案の金輸出解禁を断行すると、金流出による円高から物価と株価が下落し、企業が倒産し失業者があふれた（昭和恐慌）。政府が財政緊縮に向けて戦艦の削減に合意すると（ロンドン軍縮会議、1930）、軍部や右翼勢力はこれを激しく非難した。軍部は、日本の経済圏を維持すべく満州の軍事支配を打ち出し、現地の関東軍は満鉄線路を爆破し沿線諸都市占領するなどの軍事行動をおこした（満州事変、1931）。関東軍の行動を新聞や雑誌がたたえ、国民も熱狂し軍部を支持した。

31年末犬養内閣が成立した。高橋蔵相は金輸出を再禁止して円安とし、重要産業統制法の制定と赤字国債の発行などによって経済の活性化をはかった。32年には右翼による財界要人や犬養首相など政府要人のテロが相次いだ（血盟団事件／五・一五事件）。犬養の後任に海軍大将斎藤実が就任し、第二次護憲運動の加藤内閣からつづいた8年間の政党内閣は崩壊をみた。斎藤内閣は、関東軍の満州国建国を承認し（日満議定書）、国際連盟がリットンによる調査報告を公表し日本の満州撤退を求めると、33年日本は国際連盟を脱退した。ヨーロッパでは自国経済圏の拡大をもくろむドイツが国際連盟を脱退してヒトラーのナチス独裁となり（1933）、イタリアではムッソリーニ率いるファシズム党がエチオピア侵攻を開始した（1935）。

35年、軍部を中心に国家体制として天皇主権を明確せよとの主張が高まり、岡田内閣はこれまでの天皇機関説を公式に否定する国体明徴宣言をだした。36年、ワシントン条約を破棄しロンドン軍縮会議を脱退した。そして陸軍皇道派の急進派青年将校が天皇擁立による国家改造のクーデタをおこすと、これを鎮圧し陸軍を粛清した（二・二六事件）。事件後、広田首相が就任し、ドイツのスペイン共産化阻止に同調しナチスと日独防共協定を結んだ。こうして陸軍と内閣が協調し、軍備に莫大な予算を計上して国産兵器の開発をすすめ、財閥は軍部と結んで朝鮮や満州への進出を強め、農村では自力更生運動を展開する国家主義的体制が固まった。

日中戦争と第二次世界大戦

37年北京郊外で日本軍と中国軍が衝突し（盧溝橋事件）、両軍による全面戦争へと発展し（日中戦争、1937～1945）、中国では国民党と共産党が連携し、再び抗日へと動いた（第二次国共合作、1937）。日本は世界の共産勢力と対峙すべく日独に伊を加えた防共協定を結んだ。38年近衛内閣は中国との和平交渉を打ち切り、戦時体制の構築をすすめ（国家総動員法）、戦争の目的は日本と満州国さらに中国との互助連環、共同防共、経済圏形成にあると表明した（東亜新秩序）。

39年、ドイツのポーランド侵攻をうけ英・仏がドイツに宣戦布告し第二次世界大戦（1939〜45）が始まった。40年、近衛が再度登板し石油などの資源を求め北部仏印に進駐した。ヨーロッパ戦線ではドイツの勝利がつづき、国内でドイツ礼賛の空気が高まるなか日独伊の三国同盟を決断した。そして戦争遂行体制を固めるべく議会を閉鎖し（大政翼賛会）、産業界の統合をすすめた（大日本産業報国会）。

41年4月、日本はソ連と中立条約を結び、6月ドイツがソ連に侵攻し、7月日本が南部仏印に侵攻した。8月米のローズヴェルトと英チャーチルはこの戦いを民主国家対専制ファシズム国家との戦いと規定した（大西洋憲章）。そして、日本はアメリカとの交渉に失敗し、12月米太平洋艦隊基地ハワイ真珠湾を奇襲しアメリカとの戦端を開き（太平洋戦争、1941〜45）、第二次世界大戦はヨーロッパから太平洋域へと拡大した。

開戦後、日本は香港・マレー半島・シンガポール・フィリピン・インドネシア・ビルマなど東南アジアのほとんど全域を占領した。日本はアジアを米・英・蘭・仏などの植民地支配から解放し、共存共栄の「大東亜共栄圏」とする構想を掲げ、民族運動を奨励し、43年には東京に占領地の代表を集め大東亜会議を開いた。一方、占領地では日本軍の支配に対する反対運動もうまれた。

戦局は42年のミッドウェー海戦の敗北以降、日本側不利へと転じた。そして45年5月ドイツが降伏し、8月、日本は広島と長崎に史上初の原子爆弾の投下をうけポツダム宣言の受諾を決定し、天皇が国民に無条件降伏を宣言した。ソ連は日ソ中立条約を破って日本に宣戦し満州・朝鮮・千島・樺太に侵入した。

軍事と戦い：戊辰戦争、国民軍創設、日清・日露・世界大戦

戊申戦争では、薩長などの新政府勢力が蒸気軍艦、大砲・小銃などの輸入武器を前面に南から北にのぼり会津藩など旧幕府勢力を圧倒した。新政府は徴兵令を公布し、輸入武器を主力とする国民軍を創設し、西南戦争などの内乱を鎮圧し、大日本帝国憲法において国民皆兵制をしいた。

日本軍のゼロ式戦闘機

日清戦争では輸入軍艦を主力に清の北洋艦隊を壊滅させ遼東半島を制圧して勝利した。その後の日露戦争では陸戦では苦戦したものの日本海でバルチック艦隊を撃破し勝利を手繰り寄せた。いずれも軍艦による海戦勝利による海域の支配が決め手となった。日露戦争の終わる頃には、欧米並みの重工業化を達成し、さらに大学などに研究所を設置して科学技術の研究に投資して新兵器開発に力を注ぎ、火器・戦艦そして航空機・空母などの国産化に成功し、陸海軍の人的規模を増強させた。

第一次世界大戦で陸軍は中国のドイツ・青島要塞を攻略し、海軍は南太平洋のドイツ植民地ビスマルク諸島を占領した。大恐慌以降は、日本の経済圏として中国を武力支配した（山東出兵･1927、満州事変･1931、満州国樹立･1932、日中戦争・1937）。そして、ヨーロッパ戦線で勝利を重ねるドイツ・イタリアと軍事同盟（日独伊三国同盟）を結び、英米との対立を決定的にした。

第二次大戦前夜、日本の軍事力は世界最強国のひとつに発展していた。日本近海での日本の海軍力は、太平洋で米国を上回り、英・仏等ヨーロッパ諸国が対独戦でアジアを離れるとアジアでの絶対優位は明らかとなった。中国大陸の陸軍についても、ソ連の戦力が対独戦でヨーロッパに向い、中国の抗日戦はゲリラ戦術が主力で、日本の100万の陸軍が優位となった。海軍に航空隊を新設し、ゼロ戦などの優れた航空機技術を開発し、米国が航空機製造に立ち遅れたこともあり、日本の海軍航空隊が九州から東シナ海を超えて大陸奥深くに攻撃するなど東アジアの空を支配した。日本の軍事大国化は、明治以来の国是として毎年予算の3～5割を軍事費にあてた結果であった。

しかし、日本の7倍に近い圧倒的な経済力を持つアメリカはゼロ戦に対抗すべく空軍力をたてなおして制空権を握り、都市爆撃と原爆投下によって日本を破った（真珠湾攻撃・1941、ミッドウェー海戦・1942、サイパン沖縄戦・1944、東京空襲・1945、広島長崎原爆・1945）。

現代：民主国家の形成
（1945～）

世界の動きと日本：冷戦期、「グローバル時代」、多極化する世界

大戦が終わり国際平和をめざす国際連合が成立した。直後から資本主義を掲げるアメリカ（西側）と共産主義を掲げるソ連（東側）による対立が激化した（冷戦）。ベトナムの戦いが始まり、ドイツは東西に分離し、朝鮮半島は南北に分離し、中国では共産党が国民党に勝利し毛沢東を首席とする中華人民共和国が誕生し東側の一員に加わった。冷戦の構造のもと、朝鮮半島で南北の戦いが勃発したが決着せず休戦状態が今につづき、ベトナムの戦いは北が南を吸収する形で終結した。世界では、アジア・アフリカの多くの国が独立を果たし、中東ではイスラエル建国をきっかけに4次の戦争がつづき、イランでイスラーム回帰の革命がうまれた。中国は文化大革命後の民主化運動が鎮圧され経済優先の改革開放へ舵を切った。

日本は大戦終了後、アメリカの占領下におかれ民主平和憲法が定められた。冷戦構造が定着するなか、米・英などと平和条約を締結し日本の独立が承認された。日本は約6年間にわたる占領期を脱し、日米安全保障条約を結び、翌年には国際通貨基金（ＩＭＦ）に加入し

国際社会に復帰した。復興をスローガンに高度経済成長政策を推進し、60年代末の国民総所得ＧＮＰはアメリカに次ぐ世界二位の「経済大国」に成長し、この間には東京オリンピックも開催した。70年代にはオイルショックを克服し、80年には世界のＧＮＰに占める比率は約10％に達した。世界との経済摩擦が深まるなか、発展途上国への開発援助（ＯＤＡ）や国際連合平和協力（ＰＫＯ）の活動を強化した。

89年、冷戦はソ連崩壊によって終結し、ソ連は周辺国の独立によりロシアになった。そして世界は経済の自由化を基調とする「グローバル時代」をむかえた。統一したドイツを中心とするヨーロッパ（ＥＵ）や日本に加え、中国やインドなどのアジア諸国が経済力を高めイスラーム諸国も宗教的主張を強めた。21世紀にはアメリカの地位が相対的に低下し、特に共産国家・中国が経済・政治や軍事力で台頭するなど多極化する世界の姿が明らかになった。

日本は世界でグローバル経済がすすむなか、経済バブルの崩壊によって高度成長から一転しゼロ成長の時代が続いた。ＴＰＰ（環太平洋経済連携協定）を成立させるなど新たな成長を模索する一方、隣国中国が発展しアメリカとの対立が激しさを増すなか、これまでの日米安全保障条約を基盤とする外交を堅持し世界平和への貢献をつづけている。

昭和時代（1945～1989）：民主国家の構築と高度経済成長

民主国家の構築と国際社会への復帰

45年日本はアメリカを中心とするＧＨＱ（占領軍総司令部）の配下となり、日本の占領政策の基本は民主化と非軍事化におかれた。46年、民主主義と平和主義を骨格する日本国憲法が制定され、国民主権と基本的人権が明記され、象徴天皇、戦争放棄と戦力不保持などを掲げた。48年には極東軍事裁判によって戦争責任が問われ東条首相以下28人が重要戦争犯罪人として起訴された。

50年、東西冷戦をうけて朝鮮戦争が勃発するなか、吉田内閣はアメリカの要請を受け警察予備隊（54年からは自衛隊）を組織し、アメ

占領軍・米マッカーサー司令官と昭和天皇（1945）

リカの再軍備への要求を最小限におさえつつ経済復興を最優先させた。アメリカとの講和がすすみ、米・英など自由主義陣営48カ国と平和条約を締結し日本の独立が承認された（サンフランシスコ平和条約、1951）。日本は約6年間のわたる占領期を脱し、日米安全保障条約によってアメリカ軍が駐留する体制を維持し、翌年国際通貨基金（ＩＭＦ）に加入し国際社会に復帰した。

55年の総選挙以降、国会は保守勢力が合同した与党・自由民主党（自民党）と憲法擁護・再軍備反対を唱える野党とほぼ２対１の構成となり、保守勢力による安定的な政治体制が出来上がった（55年体

吉田茂（1878～1967）

制）。そしてソ連とは北方領土の未解決の問題を残しつつも国交を開き、国際連合に加盟した（1956）。

戦後の文化政策は、ＧＨＱの指令によって戦時下の言論・思想・信仰に対する抑圧を取り除くことから始まった。報道・言論や学問の自由が保障され、天皇制やマルクス主義・自由主義に対する禁忌をなくし、伝統ある国家の文化を振興する政策が打ち出された。戦後の混乱の中で人々を勇気づける音楽や映画が製作され、53年にはテレビ放送が始まり、また週刊誌も発行され文化の多様化と大衆化がすすんだ。

高度経済成長の時代

60年池田内閣は「所得倍増」を掲げ高度経済成長政策を推進し、東京オリンピックの開催（1964）にあわせインフラを整備し新幹線や高速道路の建設を進めた。こうして55年から60年代末までの日本経済は年平均10％以上成長をとげ、石油化学・自動車・電子など新しい工業が急成長し、60年代末の国民総所得（ＧＮＰ）はアメリカに次ぐ世界二位の「経済大国」に成長した（1968）。労働者所得が上昇し、電気冷蔵庫・カラーテレビ・乗用車（３Ｃ）が普及し、都市と農村の較差もなくなり豊かな生活が実現した。

しかし、この間の高度経済成長は多くのひずみをもたらし、急激な産業開発によって自然環境が破壊され、産業廃棄物や排気ガスによって大気・土壌・河川・湖沼・海水などが汚染され各地で公害病が発生した。これを正すべく公害対策基本法が制定され（1967）、環境庁が設置された（1971）。

70年「人類の進歩と調和」を謳う大阪の万国博覧会が開催され、72年にはアメリカ軍基地を残しつつも沖縄返還が実現した。国際環境が激変し、アメリカがベトナム戦争の行き詰まりから中国に急接近し（ニクソン訪中）、国連では台湾にかわり中国が代表権を獲得し、日本も中国との国交を開いた（1978）。

こうしたなか、アメリカ経済の不振によるドル危機によって円が急上昇し、また第四次中東戦争の勃発による原油暴騰によって日本経済は大きな打撃を受けたが（オイルショック、1973）、日本企業は新技術開発などで危機を克服し、国際収支も大幅な黒字をつづけた。そして世界から経済大国として国際社会への貢献を求める声が強まった。

80年代経済は安定成長をつづけ、世界のＧＮＰに占める日本の比率は約10％に達し、半導体・集積回路・コンピュータなどのハイテク分野や、自動車や電気製品の輸出が激増した。イギリスのサッチャーやアメリカのレーガンを先頭に世界が「小さな政府」を目指すなか、中曽根内閣も電電・専売の民営化と国鉄の分割民営化を決定した。しかし大都市の地価の暴騰、外国人労働者の流入などが問題化し、出生率の低下と寿命ののびによる社会の高齢化が始まった。

85年にはアメリカ経済の更なる不振をうけドル安への誘導が決定された（プラザ合意）。アメリカは日本側の巨額の輸出超過を問題視して自動車など主要輸出品の規制や農産物の市場開放を求め、政府の関与や産業間の連携など広く経済構造の見直しを迫り、ヨーロッパや東南アジア諸国からも日本品の大量進出への警戒と反発がおこった。日本は内需拡大へ経済政策を転換すべく低金利政策を断行したが、それは土地や株式への過剰な投資を促すことになった。

平成時代（1989～2019）：世界の激動と停滞する日本

ゼロ成長の時代

89年、昭和天皇が崩御し平成天皇が即位した。この時代を平成時代という。この年、中国は民主化運動を鎮圧し（天安門事件）、経済優先の改革開放へと向かい、東欧で共産党政権が崩壊し、そして米ソ首脳によって「冷戦の終結」が宣言された。日本では福祉財源として新たに消費税3％が設定され、年末の土地や株式は史上最高値を更新した。

90年日銀が金融の引き締めに転じ、大蔵省が不動産融資を規制すると、土地や株式への投資バブルは一気に崩壊に向かった。多くの企業で収益が悪化し、失業者がうまれ、平成の長い不況が始まった。一方で日本の国際的役割は高まり、資金援助とともに人的分野での国際貢献のため発展途上国への開発援助（ＯＤＡ）や国際連合平和協力（ＰＫＯ）の活動が強化された（1992）。

93年の総選挙では、自民党が、ロッキード事件･リクルート事件･東京佐川急便事件など度重なる「政治と金」のスキャンダルから敗北し、非自民勢力の細川連立内閣が成立し、戦後を支えた「55年体制」は終わりを告げた。そして新たな選挙制度として小選挙区比例代表並立制が導入された。94年には社会党がＰＫＯによる自衛隊の海外派遣を認めるなどこれまでの政策を転換し、自民党・社会党・新党さきがけによる3党連立内閣が組織され、98年には非自民勢力が合同し民主党が結成された。

21世紀にはいると自民党が公明党との連立政権によって政権を組織した。小泉内閣は小さな政府を指向し、「官から民へ･中央から地方へ」を旗印に郵政民営化など行政機能の分権化をすすめ、労働者派遣などの規制を緩和し、企業もリストラをすすめるなど改革の動きを強めた。一方、世界では、イスラーム過激派によるアメリカ・ニューヨークで同時多発テロが発生して緊張が高まり（2001）、日本も日米安保条約のもとで世界の有事に対応する法制備をすすめた。こうしたなか首相の靖国神社参拝を日本の軍備拡張とみる中国・韓国からの批判が強まった。

08年アメリカの投資銀行・リーマン・ブラザーズの経営破綻に端を発し世界規模の金融危機が発生した。世界的な経済の冷え込みと金融不安によって景気後退がすすみ、09年の総選挙で自民党が大敗して民主党内閣が誕生し本格的な政権交代が実現した。しかし政局の不安定な状況はつづき経済のデフレ停滞も続いた。11年には東日本大震災の勃発によって日本は大きく混乱し、12年の総選挙では民主党が大敗し、自民党と公明党の連立政権が復活した。

失われた30年と今後の課題

平成の日本経済はゼロ成長をつづけ「失われた30年」と言われている。この原因として、バブルの崩壊によって資産価格が下落し金融機関から多くの産業の合併や倒産へと波及したこと（バランスシート不況)、高齢化がすすみ社会保障費の激増によって財政悪化がすすんだこと、豊かな日本になって物がいきわたり少子化も始まって需要の伸びが期待できなくなったこと、そして自民党を中心とする55年体制が崩壊し野党も離合集散を繰り返すなど政治が不安定化したこと、などがあげられている。

さらに日本経済を苦しめた大きな要因として、冷戦後の自由主義的なグローバル経済のなかで中国や韓国・台湾などが台頭するなか、アメリカの圧力によってうまれた平成の円高を指摘できよう。これにより日本企業の競争力は大きく喪失した。85年のプラザ合意時に1ドル240円であった円は、平成にはいった94年には100円を突破し、95年に79円25銭、その後2000年代には100円をキープしたが、2008年のサブプライムローン危機には、再び80円台後半から90円となり、東日本大震災時には76円25銭となった。平成の時代は昭和末のプラザ合意時に比べほぼ2倍以上の円高がつづいたのであり、2012年の選挙で自民党の安倍首相が金融緩和策を訴え、ようやく80円台後半から100～120円の円安にむかった(アベノミクス)。

さらに、この停滞を打破するためには、改めて競争力を失った半導体などのハイテク産業を復活させ、新たな成長分野を育成していく必要があろう。そして少子高齢化のもとでの社会保障費の増大による財政悪化、リストラや非正規による雇用の不安定化、富裕層・貧困層の間の格差拡大など、さまざまな課題の改善に向け、政治や経済の大胆な制度見直しが必須となろう。

平成の時代には大災害・大事件・大事故が相次ぎ、特に、95年の阪神・淡路大震災と地下鉄サリン事件、2011年には史上まれみる巨大地震(東日本大震災)と福島原子力発電所事故が日本を襲い、地球環境の悪化による異常気象によって巨大台風や大雨・強風による被害も頻発した。こうした危機に対応し、安心・安全な国土再建に向けた公共投資の重要性も明らかになった。

世界の多極化がすすみ、特に平和条約を結び経済関係が強まる中国が大国として発展しアメリカとの対立が激しさを増すなか、軍事・経済の両面からの安全保障の問題が重要性を増している。そして、中国や韓国との領土・歴史認識問題、北朝鮮との核・ミサイルと拉致問題、ロシアとの平和条約締結と北方領土問題など、長年の問題の解決が強く求められている。日本は、明治以降、第一次大戦前のイギリス、大戦間のドイツとイタリア、そして第二次大戦敗戦後はアメリカと、世界の問題に大きな力をもつ国と手を結び、自らの国益を追求してきた。米中の覇権争いのなかで、如何に外交のバランスをとるのか難しい局面に置かれている。

軍事と戦い：自衛隊創設と日米安全保障条約

敗戦後、日本は占領軍に武装解除されたが、1950年に朝鮮戦争が勃発すると、米国の指導のもと自由主義陣営の一角として再軍備が進められた。50年、7万人からなる警察予備隊が組織され、54年には自衛隊となり、以降防衛予算も強化された。51年、アメリカの核のもとで在日米軍と自衛隊とが連携して日本を防衛する日米安全保障条約が締結された。一方、国内では自衛隊をめぐり、反戦運動や合憲性の観点から市民団体等による非難の対象となり反基地闘争や安保闘争がうまれた。

冷戦が終結すると、これまで自衛隊を違憲としてきた社会党がその合憲性を認め、日米安保を堅持する方向を固めた。そして、軍事力においても中国が台頭し、中東などの世界各地でもさまざまな戦いが勃発するなか、日米安全保障条約の内容について絶えざる見直しをつづけた。

1997年自衛隊による米軍支援を世界規模に広げる日米安全保障の新ガイドラインが制定され、自衛隊の世界各地への平和維持活動への参加が可能となった。2010年には防衛政策の要をロシア(旧ソ連)から中国へと焦点を移し、2013年には国家安全保障会議を創設し、2015年には自衛隊による米軍の支援を世界規模に広げた日米新ガイドラインが制定され、集団的自衛権の行使が認められるようになった。

軍事技術は一段と進化し複雑化した。核の小型化や化学兵器の開発が強化され、潜水艦による海中からの攻撃や衛星・ミサイルなどによる宇宙からの攻撃も可能となった。さらに電力・通信・運輸・行政など社会のインフラ機能や企業のサーバーやパソコンなどのコンピューターシステムに対し、インターネットなどの電子空間を通じて破壊活動やデータの窃取、改ざんなどを行なう「サイバー攻撃」が社会を広く攪乱させる重要な軍事技術として表面化した。そして、小型飛行物体ドローンが開発され　戦場のみならず身近な生活空間が攻撃可能となるなど戦闘形態の多様化がすすんでいる。

隣国の社会主義国・中国が一段と軍事力を強化し、東シナ海や南シナ海で空や海から周辺諸国に圧力を加え、北朝鮮が核開発をすすめるなど、日本辺の軍事環境は大きく変化した。自衛隊は世界の中でも世界有数の軍隊であり、スイス評価機関によれば従来能力で2010年の時点で世界４位にランク付けされ、ＧＤＰ比１％で世界８番目の軍事予算を持っている。日本の安全は現在の平和憲法のままで守れるのか、また日米安全保障条約は今のままでよいのか、核の保有をどう判断するのか、そして軍事予算の拡大を確保するのかなど、日本の今後の行き先を左右する重要な課題をつきつけられている。

第Ⅳ章　多極化する世界と歴史

多極化する世界をより深く理解すべく歴史を如何に学ぶか、これからの大きな課題といえよう。本章では、その基礎知識として、それぞれの歴史のもつ異質性、関連性・共通性に着目し以下の三点について概説する。

第一は多極化する世界の歴史の叙述である。日本や欧米諸国では、実証を基盤におく世界史が歴史叙述の主流といえようが、これが世界のすべてではない。歴史は、その地の自然や生業、育まれた宗教、政治や経済の制度の伝統、さらに周辺の民族や国家との関わりのなかでさまざまに語られ、各国の間の歴史認識の違いは時に対立をうみだしている。本節ではヨーロッパ、イスラーム諸国、中国、日本の歴史叙述と、その相違によってうまれる歴史認識の問題について概説する。

第二は多極化する世界の「極」についての考察である。極の間の「異質性」をうみだすもの、それは価値観や信仰、社会の制度や構造であり、その基礎をなすものはその地の自然や生業に根差し長い時間をかけて形成され、人々が受け容れ、そして守ってきた宗教であり、インドのバラモン教・仏教・ヒンドゥー教、中東から世界に広がったユダヤ教・キリスト教・イスラーム教、そして中国の儒教などである。本節では、その宗教の概要と、宗教を核として政治・経済・社会・文化など文明の原型を育んできた地域や中核国家の歴史について概説する

第三は広大な地域や地球全体の視野からテーマを絞り長い時間軸からみた「関連性・共通性」の歴史である。こうした研究は相互理解を育むうえで不可欠であり、グローバルヒストリー（global history）

と呼ばれアメリカや日本で急速に研究がすすんでいる。そのなかから優れた研究成果をとりあげ、人類生存の基礎をなす「地球環境」「気候変動と民族移動」、世界の経済や政治に関する関係性を論じた「世界の経済システム：13世紀と16世紀以降」「近代アジアの経済発展：勤勉革命」「中央ユーラシアの帝国：約3000年前から15世紀」「オスマン帝国の多民族共存」、そして地球市民との視点から人類共存をとりあげた「地球主義の世界史の構想」について概説する。

1　世界の歴史叙述と歴史認識

世界の各地で、先祖からの神話や伝説の語りを引き継ぎ、文字の誕生とともにそれを歴史として叙述してきた。キリスト教、イスラーム、仏教などの宗教が社会の中心になると宗教のもつ世界観をもとに歴史が叙述され、漢民族などの農耕民と北の遊牧民の政権が頻繁に入れ替わる中国では政権の交代をふまえ、時の政権の歴史専門家「史官」が叙述するものになった。しかし、19から20世紀にかけて西欧文明が世界へ広がり、同時に近代の歴史学としてドイツ発の実証史学が各地に影響をおよぼすと、その地で長く踏み固められた伝統の歴史とのあいだで大きな摩擦をうみだしている。

本節では、ヨーロッパ、イスラーム諸国、中国、そして日本をとりあげ、18世紀ころまでの伝統の歴史叙述と、近代歴史学の影響をうけた19・20世紀の歴史叙述について概説する。さらに、各地各様の歴史が叙述されるなか、各国は自ら歴史の正統性を訴え、各国間の歴史認識の違いは時に外交問題へと発展する。この歴史認識の問題についても概説する。

ヨーロッパ

18世紀まで: ギリシャ・ローマ、キリスト教、そして啓蒙の時代

ギリシャ・ローマの時代には歴史はどう考えられたのであろうか。ギリシャ人は毎日昼と夜がくりかえし、また毎年春夏秋冬をくりかえすように、歴史は循環的なもので規則正しい運動であり、良い時代と悪い時代、平和と戦争が交互にめぐるものと考えた。歴史は人間の力を超えた運命的な事件のくりかえしで、世界は本質的に変わらず始めも終わりもないと考えた。

歴史という言葉の始まりは前5世紀ヘロドトスの述べたギリシャ語「ヒストリア」である。彼はペルシャ・エジプト・アッシリア・小アジアなどの各地をめぐって真実を探求したものを『歴史（ヒストリア)』として著した。同じころ、トゥキディデスは『戦史』を著し、ペルシャとのペロポネス戦争の歴史について、演説などを引用しつつ実証的かつ教訓的に叙述した。ヒストリアとは歴史家が自ら探求したものを主体的かつ自由に語ることであった。

ローマ時代の歴史記述は神官による暦や出来事の記録から始まっ

ヘロドトス（前485 ~前425頃）: 歴史の父とされる

た。紀元前2世紀のポリビオスは貴族政・君主制・民主制などローマの政体の歴史を論じ、前1世紀末からの帝政の時代にはリウィウスの『ローマ建国史』やカサエルの『ガリア戦記』が著され、ストア哲学の克己的・禁欲的な精神によるローマの偉大な歴史が強調された。

5～15世紀の中世の時代にはキリスト教が社会の中心となった。人類の歴史は、楽園に生まれたもの自らの意志乱用によって楽園を追われたが、神・キリストの贖罪によって再び楽園を取り戻し、その恩寵にあずかりながら、その救いを信じ長く苦しい努力を続けるものと考えた。永遠の存在は神だけで、この世は神によって創られた有限の世界であり、ある時に始まりある時に終わる一度限りのものであり、歴史は終末に向かって直線的に進むと考えた。

14～16世紀のルネサンス、すなわち、神から離れ人間のもつ個性や価値を重視するヒューマニズムの時代になると、古典復興の気運にのってギリシャ・ローマの文献の調査や遺跡の発掘などによって歴史研究の門が開かれていった。

17～18世紀には、ベーコンやデカルトの経験合理主義の哲学、さらにロックの人民の自然権などの思想を受けて、人間の理性を確信し、合理的・普遍的・進歩的思想を掲げる啓蒙主義が主流となった。ヴォルテールは『ルイ14世時代史』で、理性を信頼して自由を標榜し、因習や社会の不合理性を鋭く批判し、コンドルセは『人間精神進歩史』において人類の発達は無限であり、歴史は階段を昇るように「合理的に進歩する」と考えた。

19～20世紀：近代歴史学の誕生

19世紀、歴史はヨーロッパにおいて新たな展開をみせた。ドイツでは、フランス革命が勃発しナポレオンの進撃をうけ神聖ローマ帝国が崩壊すると、国民の民族意識が高揚をみせた。1810年ドイツはベルリン大学を創立し、従来の哲学・神学・法学などに加え、祖国の歴史を確立すべく新たに歴史学の講座を新設し学問としての歴史研究を開始した。ベルリン大学の教授に就任したランケは、学問の基礎を実証におく新たな歴史学を立ち上げた（実証史学）。

ランケは歴史を民族による国づくりの過程としてとらえ政治的・軍事的指導者が歴史を動かすと考えた。『世界史概観』を著し、古代オリエントから始まってギリシャで花開き、ローマ帝国の興隆を経てキリスト教的ヨーロッパの世界が誕生し、ゲルマン民族中心の近代ヨーロッパ諸国が形成されたと考えた。

この時代には歴史が哲学的にも探求された。ドイツ観念論の哲学者ヘーゲルは、歴史を精神の展開におき、精神の自由が現実化していく過程を歴史とした。世界の進展は、王一人が自由だったオリエントの世界から、ギリシャ・ローマの時代を経て、万人が自由になるゲルマンの近代世界で歴史は完成したと考えた。唯物論哲学者のマルクスは歴史を動かす基盤について、国家や民族ではなく、また精神の自由でもなく、経済におき、生産を主導する支配階級と、そのもとで働く被支配者階級の関係に着目した。そして古代の王と奴隷、中世封建制の領主と農奴、そして近代ヨーロッパ資本主義社会の資本家と労働者による闘争の歴史と考え、最終的には労働者が勝利した社会が形成されとし、それを共産主義社会と呼んだ。

歴史研究の対象はさらに社会、宗教、習慣などへと広がり、これを総合的にとらえた文明史などがうまれた。ギゾーやバックルは文明の直線的な歴史の発展過程を叙述し、ヨーロッパの文明が唯一の最終の姿であり、中国やインドはヨーロッパ文明の前史で、アジア・アフリカ・アメリカの歴史は支線・枝葉として位置付けた。ランケ、ヘーゲル、そしてマルクスと同様、世界の歴史の中心はゲルマン民族中心のヨーロッパにあった。

20世紀以降には、第一次世界大戦を経験して荒廃したヨーロッパをみたトインビーが文明を循環的にとらえなおし、さらに社会学、地質学や遺伝学など様々な社会科学や自然科学の研究成果もとりいれられ、新たな歴史学が展開をみせている。

イスラーム諸国

18世紀まで: イスラーム拡大の歴史

7世紀、ムハンマドによってユダヤ教・キリスト教に続く一神教、イスラームが創始された。イスラームとは、そもそも絶対服従せよとの意味であり、イスラームの歴史は神の絶対意志の実現の過程であり、歴史の叙述にあたっては、コーランやムハンマドの言行（スンナ）が収集された伝承（ハディース）が重視されてきた。

10世紀ごろ、アッバース朝のバグダードで活躍したイスラーム法学者のタバリーは、アラビア語を用い、イスラームの教義と伝承にもとづき、神による人間の創造から最後の審判にいたる時の流れのなかでイスラームの歴史を叙述した。そこでは、人類の歴史を一神教の歴史とし、ユダヤ教につづくキリスト教のアダムとノアの洪水や預言者の系譜を経たのち、ムハンマドによってイスラームが創始され、その後、メッカ・メディナに生まれた教徒の共同体の指導者カリフによる政治が確立し、カリフの地位を継承しつつアラビア半島全体におよび、さらに信徒の聖戦によって四方へと広がったとする「イスラーム世界史」を叙述した。

10世紀以降、各地に、トルコ系などの外来の軍人の力と在地の豪族よってイスラームの政権が広がると、その地の歴史は、地元の文人がタバリーのイスラーム世界史を骨格にその地の歴史を結びつけ叙述された。ムハンマド誕生以前の世界については、ペルシャ語世界のイランではペルシャ王の時代とし、またモンゴル世界ではモンゴル民族の系譜をおき、その後をイスラームの世界史と統合した歴史として叙述した。そして、軍人を讃えつつ地域の実生活に役立つ教訓をまとめ、外来軍人による政治の基盤としての役割を果たした。

14世紀のイブン＝ハルドゥーンは『世界史序説』において、自然のもと遊牧民と農耕民の力関係の交代を歴史の基層におき、イスラーム化のなかで、遊牧民の歴史的役割を強調した。さらに16～18世紀

タバリー（838～923）

にかけ、オスマン帝国やサファヴィー朝など巨大な中央集権国家が隆盛すると、歴史を記述する修史官が政府の記録を史料とし、各王朝の事績を讃える政治色が前面にでた。

19～20世紀：西欧歴史学とイスラーム原理主義革命の影響

19世紀にはヨーロッパにおける歴史学やイスラーム史研究の成果が当地におよんだ。ヨーロッパの圧力をうけて動揺するオスマン帝国では、これらの研究成果を取り込み、民族や国家を前面に出すトルコ史やエジプト史が叙述された。そして、オスマン帝国成立以前からの「輝けるトルコ民族」を前面にたて、中央アジアからアナトリア（小アジア）に進出するトルコ人をえがくトルコ民族史が叙述された。また、領内のエジプトでは、誇り高きナイル川古代文明、ローマ帝国、ビザンツ帝国の時代を重視し、イスラーム教徒とは独立した「エジプト人の歴史」も提示された。

20世紀後半のイランではイスラーム原理革命（1979）によって、再びタバリーのイスラーム世界史が復活する動きもうまれている。これまでペルシャ語圏の誇り高い民族意識によってイスラーム化以前の歴史をササン朝などペルシャ王の歴史を叙述したが、革命以降の歴史教科書では、ササン朝ペルシャの歴史を取り下げ、そこにタバリーのアダムやノアの箱舟から始まるキリスト教の歴史を復活させた。こうした一方、アメリカ在住でアフガニスタン出身のタミム・アンサーリによる『イスラームからみた「世界史」』(2011)のように、マクニールなど現代の実証的な世界史を意識しながら、新たなイスラームの世界史を叙述する動きもうまれている。

中国

歴史書の特徴

中国では農耕漢民族と北方遊牧民族の王朝が繰り返すなか、おびただしい数の歴史書が編纂されてきた。「史は史官」といわれ、王朝には官職の史官が設置された。そして歴史は、現王朝の史官が先王朝の歴史を、現王朝の正統性を示す視点からまとめる極めて政治色の強いものであった。歴史書として公認された「正史」は、前漢の『史記』をはじめとする二十五史である※5。

中国の歴史記述には、事と年とつなげて書く編年体と、事を人とつなげて書く紀伝体がある。紀伝体は一般に皇帝の年代記である「本紀」と、王朝の宰相・将軍・役人から刺客・任侠・商人までの多種多様な人物の伝記、および匈奴・南越・朝鮮など周辺民族についての「列伝」をもって構成されている。

正史は紀伝体で書かれた。全百三十巻にのぼる『史記』ように膨大な量があり、歴史上の一人一人の人物などを詳しく知る利点があるものの、時代の動向や歴史的事件の推移の大略をつかむには不便であり、編年体によって古代から唐末までを記述した『資治通鑑』や、初学者向けに編纂された『十八史略』が書かれている。特に『十八史略』は他書からの抜き書きをつなぎ合わせたものではあるが簡便にえがき、日本においても江戸から明治期にかけて中国史の入門書

※5　『史記』をはじめとして、『漢書』『後漢書』『三国志』『晋書』『宋書』『南斉書』『梁書』『陳書』『後魏書』『北斉書』『周書』『隋書』『南史』『北史』『旧唐書』『新唐書』『旧五代史』『新五代史』『宋史』『遼史』『金史』『元史』『新元史』『明史』までの二十五史。

司馬遷（前145～前86頃）：中国前漢時代の史官で『史記』の著者

として大いに人気を博した。

18世紀まで：儒学思想による歴史

前漢のはじめ、徳と礼を重んじる儒学が統一国家の国教となると、その儒学の理念をもとに歴史の編纂が始まった。前2世紀の司馬遷による『史記』と1世紀の後漢の班固による『漢書』は以降の中国の正統な歴史（正史）の模範となり、3世紀には魏・呉・蜀の三国が争覇した歴史、『三国志』が編纂され、この『三国志』の魏志倭人伝には日本の邪馬台国の卑弥呼についての記述が残され、日本史の貴重な史料となっている。

6世紀末の隋代に儒学を基礎とする官吏登用試験の科挙が始まり、7世紀以降の唐代には儒学思想の体系化と統一がすすんだ。政権内に史書編纂のための組織として史館が設置され、隋代までの正史として、『晋書』『宋書』『南斉書』『梁書』『陳書』『後魏書』『北斉書』『周書』『隋書』が国家の事業として編纂され、8世紀、留知幾は本格的な史論書である『史通』を著した。

10世紀後半からの宋の時代には新たな儒学思想として宋学が誕生した。漢から唐にかけての経典解釈を主とする訓詁学が見直され、宋代の朱熹は宇宙を貫く哲理や人間の本質について思弁をめぐらし、宋学を集大成した朱子学を創始した。朱子学は元・明から清の初期にかけて儒学の正統として史書編纂の骨格となり、大義名分論的道徳観を中心とする『資治通鑑』などが著された。

13後半～14世紀央の元の時代には、モンゴル帝国によってユーラシア大陸に政治的安定がもたらされて東西の交流がすすみ、ヴェネツィアのマルコポーロが元の大都を訪問して『世界の記述（東方見聞録）』を、またモロッコのイブン＝バットゥータも中国を訪れて『三大陸周遊記』を著し、東方の歴史や地理を西方に伝えた。そして14世紀後半からの明も国教を朱子学におき、16世紀にはキリスト教宣教師が来航し西洋の学問も伝えられたが、中国伝統の歴史観に影響を与えることはなかった。

17世紀、満州族王朝の清は中国文化を重視し、康熙・雍正・乾隆の三皇帝は、豊かな財力を背景に古典を中心に学芸を奨励して漢人学者を優遇し、大規模な編纂事業（考証学）を展開し、18世紀には、『史記』から『元史』までの歴代正史に校定を加えた『二十二史攷異（こうい）』がまとめられた。

19～20世紀：西洋近代歴史学の影響と共産中国の歴史観

中国の近代歴史学は、20世紀、日露戦争後の日本留学生によるランケ流ドイツ西洋史学の学びから始まった。留学生の梁啓超は、過去を尊び個人と王朝の事績を重視する二十五史の伝統を批判し、ダーウィンの進化論やスペンサーの社会進化論をとりいれた「新史学」を提唱し、歴史のなかに法則性を探り「国家」と「国民」の未来を求めた。中国国内でも実物資料による研究がおこり、甲骨文字が発見され、殷の遺跡の発掘など大きな成果に結びついた。

1920～30年代の中国では共産党が成立し、共産主義の発展過程と儒教中心の中国史を見直し、「現在の中国社会が、いまだ封建段階にあるならばブルジョワ革命（市民革命）が必要になり、すでに資本主義段階にあるならば共産主義革命が必要になる」とし、現代中国を半封建・半資本主義の時代と位置づけ、市民革命と共産主義革命を両輪とする中国変革への道筋が描かれた。そして、20世紀央、毛沢東の共産党が国民党との内戦に勝利し、中華人民共和国が誕生すると、政権の正統性の原点である共産主義と中国伝統の儒教を両輪とする中国ナショナリズムが中国の歴史観の中心を占めている。

日本

18世紀まで: 天皇・神道、仏教、儒学による歴史

日本の歴史叙述の始まりは、6世紀、百済から儒教や仏教が伝わるころ、王の名や宮廷の所在、妃と子の名、陵の所在をまとめた『帝紀』や、朝廷に伝わる説話・伝承をまとめた『旧辞』とされる。そして、7世紀末の飛鳥時代末期、朝廷の正統性や律令国家の発展の歴史を示す国史編纂作業が始まった。

8世紀初頭の奈良時代には、日本の国生みなどの神道の神話・伝承にもとづき推古天皇までの歴史を叙述した『古事記』が著され、さらに中国の歴史書にならった漢文・編年体を用い持統天皇までの『日本書紀』が完成した。朝廷による歴史編纂は平安時代まで続き、『日本書紀』を含む6つの漢文正史が編纂され総称して『六国史』と呼ばれている※6。そして、11世紀平安後期の藤原氏全盛の時代には、国文体を採用した『栄花物語』や『大鏡』・『今鏡』などの歴史物語が書かれた。

12～13世紀、武士政権が誕生した鎌倉時代初期には、神武天皇から仁明天皇まで57代の事跡を編年体で叙述した『水鏡』が書かれた。仏教・天台宗座主の慈円は諸行無常を強調する末法思想のもと『愚管抄』を書き、貴族にかわり武士の世の到来を告げ、その後の北条政権は日記形式の史書である『吾妻鏡』を編纂し自らの政権の正統性を誇示した。

14世紀、室町時代の天皇が南北で対立する動乱の時代には、源平の

※6　『日本書紀』720年、『続日本記』797年、『日本後期』840年、『続日本後期』869年、『日本分徳天皇実録』879年、『』日本三代実録』901年。天皇の在世の時には書かれず三、四代を経て書かれた。

争乱から建武新政期までの約150年間の歴史物語である『増鏡』、伊勢神道思想の「大日本は神国なり」を骨格としつつ皇統一系と皇位継承の正統性を訴えた北畠親房の『神皇正統記』、そして足利氏の戦記や家記によって天皇の南北両立から足利氏の政権獲得の過程を描いた『梅松論』などが書かれた。

17世紀末、江戸幕藩体制が安定期をむかえると、幕府の正統性を誇るべく、中国・清の影響をうけて朱子学を基礎におき、確度の高い史料を用いながら実証性重視の修史事業がすすめられた。林羅山らは儒教的の大義名分論と尊皇論を結び付けて神代から後陽成天皇（在位1586-1611）の代にわたる日本通史『本朝通鑑』をまとめ、また水戸藩の水戸光圀は儒学を軸に国学や神道を総合して封建秩序の維持と天皇尊崇を根幹にすえ、紀伝体による『大日本史』の編纂を始めた（1657）。新井白石は『読史余論』を著し（1712）、歴史発展の原動力を儒教の徳におき、貴族政治から武家政治への権力交替の必然性を説いた。

19～20世紀：攘夷の歴史論から西洋近代歴史学の受容へ

18世紀後半になると日本の周辺に通商を求めるロシアや太平洋捕鯨の欧米勢が姿をみせた。19世紀には日本周辺の危機が叫ばれ、水戸学の伝統をつぐ会沢正志斎は領内大津村に食料を求めて上陸したイギリスの捕鯨船員と会見して海外情報を得、日本のあるべき姿として『新論』（1825）を著した。そこでは、忠孝尚武と民を重んじた日本伝統の国体の精神を述べ、神道を国教とし、天皇から委ねられた幕府の政治を肯定し、国家の独立を維持すべく外国勢力を排除すべしと主張し幕末の尊王攘夷論の礎となった。

明治新政府が成立すると、近代化思想の中心はヨーロッパの啓蒙思想となった。特に、福沢諭吉は幕末から長崎で蘭学を、さらに横浜で英語を学び、欧米各地を訪れ自らの目で事情を確認し啓蒙思想を先導した。そして　ギゾーの『ヨーロッパ文明史』やバックルの『イギリス文明史』を学んで、『文明論乃概略』（1875）を著し、日本は未だ半開と述べ西洋文化の受容を強調した。

会沢正志斎（1782～1863）：水戸藩の学者・思想家

政府による近代歴史学の導入は、1887年帝国大学に「史学」の講座が創設され、ドイツの歴史学者リースを招聘することから始まった。ランケの実証主義的方法とヘーゲルの世界史をもとにゲルマン民族中心の「西洋史」が講義された。国史（日本史）の講座も開設され、明治政府による正史編纂事業もここに移され、ドイツ史学の影響が強まった。

19世紀末から20世紀にかけて、日清・日露の戦争に勝利して大陸への進出が強まると国家主義が勢いを増し、スペンサーの優勢劣敗の社会進化論や、ドイツ流の君主を頂点におく社会有機体論による歴史が強調された。同時に、京都や東京の帝国大学に「中国を中心とする東洋史」の研究講座が設置され、「天皇を尊崇する国民国家・日本」、追いつくべき西洋、そして遅れた東洋の歴史を研究する、日本史・西洋史・東洋史からなる大学の研究体制が確立し、その体制は今になお続いている。

1910年代の大正デモクラシーの時代には自由主義的立場からの歴史研究が展開し、津田左右吉は日本古代史を実証的に研究し「記紀」が皇室支配の由来を示す創作であると説き、柳田国男は民間伝承・風俗習慣・行事などの庶民の生活史として民俗学を提唱した。さらに、大戦中のロシア革命の影響をうけマルクス主義歴史学の受容も始まった。1930年代、軍部の台頭とともに天皇中心の歴史観（皇国史観）が前面に打ち出され戦争遂行の思想的基盤となっていった。

敗戦後の歴史研究は、戦争遂行と敗北への批判から、マルクス主義による社会経済史の影響が強まった。学校では新たに「世界史」の学習が始まり、トインビーの「文明論」の影響をうけた上原の『日本国民の世界史』が著され、その後の教科書の叙述に大きな影響を与えた。そして、自然科学や社会科学などの成果をとりこみながら新たな歴史研究が進められている。

歴史認識の問題

歴史認識の問題とは

世界の多極化がすすむなか、各国は自らの歴史を強調し誇り高き存在と正統性を訴えている。多数の歴史家が認めた歴史の事実を無視し、自らのイデオロギーで過去の出来事を都合良く再解釈し、誇張や捏造された事実を作り上る動きさえうまれている（歴史修正主義）。そして、各国の間の歴史への認識の違いは、「歴史認識の問題」と言われ、特に各国の歴史教科書における認識の差異は時に外交問題へと発展する場合もある。

歴史教科書で叙述される国家の歴史は、その地域で育まれた宗教・思想、政治、文化などにもとづく伝統の歴史観を基礎においている。それ故に、それぞれの民族や国家を誇示し、他国との差異を強調して自らの存在を際立たせ、他国と激しく対立した過去をよみがえさせる。そして相互関係が良好な時には双方の教科書の内容も好意的になるが、関係が悪化すると記述内容も厳しさを増していく。

日中・日韓の場合

日本と中国、日本と韓国の間に、日中戦争や太平洋戦争中に起きた出来事をめぐる「歴史認識の問題」がうまれている。歴史教科書の内容に加え、日本の首相や閣僚らの靖国神社への参拝や発言に対し、中国や韓国は「過去の大戦を反省せず侵略戦争や植民地支配を肯定する歴史認識の問題だ」として反発し、時に首脳会談が途絶えるなど外交問題に発展している。

中国とは、日露戦後の日中間の交流、満州国、南京虐殺などの史実の認定やその意義をめぐり認識の違いがうまれている。特に南京虐殺は、1937年日本軍が中華民国国民政府の首都であった南京を占領し、多数の捕虜や市民を殺害したとされる事件であり、犠牲者の数など日本と中国側の認識の差が極めて大きい。南京事件は中国共産党にとって、日本の侵略を世界に知らしめ、日本軍国主義と戦い、それに勝利した自らの正統性を誇示する歴史上重要な位置を占め、2015年「南京大虐殺の記録」として、ユネスコ（国連教育科学文化機関）の世界記憶遺産に登録した。これに対し、日本政府は「申請資料が一方的な主張にもとづいている」として反発し相互の主張は隔たったままとなっている。

韓国とも、韓国併合とそれにいたる過程、植民地時代の日本語教育、「従軍慰安婦」など多くの問題で認識の違いがうまれている。慰安婦問題は、韓国側が、侵略者である日本軍が「アジア各地から20万人の女性を慰安婦として強制連行した」とし、日本側は強制連行を示す証拠や連行した女性の数などを示す根拠がなく事実無根として論争が続いている。これまでの賠償や謝罪をめぐり、いくつかの和解が成立したものの解決せず、さらに戦時日本での朝鮮半島出身者の工場労働をめぐる「徴用工問題」にも発展し、歴史認識の溝は埋まっていない。

「歴史認識の問題」の克服：共通歴史教科書制定の試み

歴史認識は、その国の歴史観で叙述された歴史を、他国のさまざまな歴史観を持つ人がどう理解するかの問題であり、同じ歴史観をもつ人は肯定するであろうし、異なる歴史観を持つ人は違和感を持つであろう。利害が交錯する国々が歴史の解釈をめぐり対立するのも起こりうることである。

歴史認識の問題を理解するうえで、各国の歴史叙述の違いがどこに起因するのか、その方法論にさかのぼり理解することが重要であろう。日中・日韓の場合には、日本は欧米のように研究者は何より史実を重視しようとするが、中国大陸や朝鮮半島の国々に共通するのは儒教伝統の大義名分、即ちあるべき姿から歴史を叙述する歴史観が先に立つのであり、こうした思考の枠組みへの留意も不可欠といえよう。

歴史認識の問題を相互に克服する第一歩として、欧州で数々の戦いを経験したフランスやドイツなどの国々などでは、「未来志向」の善隣友好の視点から若年層の学びを重視し、歴史教科書の共通化をめざす動きが生まれている。フランスとドイツは、執筆と制作を担当する委員会を設置し共通教科書を編集した。全三巻の教科書で、高校第一学年が「19世紀の変革から第二次世界大戦まで」、第二学年が「ギリシャ民主制から1789年のフランス革命まで」、第三学年が「1945年から現代まで」となっている。

例えば第三学年用は『ドイツ・フランス共通歴史教科書【現代史】―1945年以後のヨーロッパと世界―』として刊行されている。そこでは、双方の立場からみた歴史を述べ、多くの国々からなる複雑な世界を生きていくには、とりわけ多次元的な歴史認識が必要だと指摘する。この共通歴史教科書は、各国の国家史の枠を超えて、多くの立場や相違点について、多くの資料を提示し、生徒に様々な視点から深く考えさせる内容となっている。

紛争が絶えない旧ユーゴスラヴィアでも共通歴史教科書の試みがうまれている。バルカン半島の歴史家や歴史教師たちは、バルカン諸国の歴史教科書の「国家史」的叙述は、さらなる紛争の火種になると危惧し、現在の政治状況のもとでは各国教科書の叙述を変えるのはむしろ困難であるとの立場にたつ。そして、バルカン各国の共存に向け、将来の和解の基礎となりうる共通の歴史的事象について国境を越えて収集・選択し、教科書の学習補助資料集として位置づけ、ビザンツ帝国解体後の歴史を『オスマン帝国』、『南東欧における民族と国家』、『バルカン戦争』、『第二次世界大戦』の4分冊にまとめ、その利用法については各国教師の判断にまかせる方法を採用している。

日本と韓国の間においても、2002年、政府後援の形で歴史共同研究が開始された。目的や方法論などをめぐって大きく認識が異なり、この試みが成功したとは言えないが、まず、こうした歴史共同研究が実施されたこと自体に大きな意義を見出すべきであろう。歴史の認識問題をこれからどう解決していくのか、今も世界に横たわる大きな課題といえよう。

2　現代の文明と歴史

ハンチントンの「文明」と世界秩序

多極化する世界の「極」が持つ特質について、それを今につづく「現代の文明」として考察する。冷戦が終わると、旧ユーゴスラヴィア、旧ソ連邦周辺、インドとパキスタンのカシミール、そしてイスラエルとパレスティナ自治政府などでさまざまな地域紛争が頻発した。アメリカの歴史家ハンチントンは、これを冷戦時代の資本主義と共産主義というイデオロギーの対立の時代に覆い隠されてきた世界各地のさまざまな伝統、いわば「現代の文明」の対立が一気に表面化したとし、その「衝突」でうまれた世界秩序について、現状を以下のようにまとめた。

1）歴史上初めて国際政治が多極化し、かつ多文明化している。

2）文明間の勢力が均衡し、相対的な影響力という意味で、西欧が衰えつつあり、アジアの文明が経済的・軍事的・政治的な力を増しつつある。イスラーム圏で人口が爆発的に増え、イスラーム諸国とその近隣諸国は不安定化している。非西欧文明は全般的の自分たちの文化の価値を再確認しつつある。

3）文明に根ざした世界秩序が生れている。類似の文化をもつ社会は互いに協力し、人々は自分たちの文明の主役、つまり中核となる政府を中心にまとまっていく。
4）西欧は普遍主義的※7な主張のため、しだいに他の文明と衝突するようになり、特にイスラーム諸国や中国との衝突はきわめて深刻である。
5）西欧が生き残れるかどうかは、自分たちの西欧的アイデンティティを再確認しているアメリカ人や西欧人たちが、自分たちの文明は特異であり、普遍的なものではないことを認め、非西欧社会からの挑戦にそなえ、みずからの文明を再建し維持していけるかどうかにかかっている。また、異文明間の世界戦争を避けられるかどうかは、世界の指導者が世界政治の多文明性を理解し、力をあわせてそれを維持しようと努力するかどうかにかかっている。

（Huntington『The clash of civilizations and the remarking of world order』
鈴木主税訳『文明の衝突』集英社、1998、21~22）

文明の基礎をなすもの: 宗教

文明は政治、経済、社会・文化など多くの側面からとらえうるが、その思想や制度の基礎をなすもの、それは、その地その地の自然や生業に根差し、長い時間をかけ形成され人々が許容して今も生き続けている宗教ではないか。ハンチントンは文明のあらゆる客観的な要素のなかで最も重要なものは宗教であるとし以下のように述べる。

人類における主要な文明は世界の宗教と密接に結びついている。そして民族性と言語が共通していても宗教が違う人々は殺し合う。……人は肉体的な特徴によっていくつかの人種に分類される。だが、文明と人種は同一ではない。同じ人種に属する人々が文明によってはっきりと切り離されることもあれば、異なる人種に属する人々が文明によって統合されることもある。キリスト教とイスラームなど、

※7　普遍主義：米仏の民主革命を起点とする人権・民主主義、さらに英の産業革命を起点とする市場経済主義といったヨーロッパからうまれた諸価値。

とくにさかんに布教活動をおこなう宗教はさまざまな人種からなる社会を包含している。人間の集団の最も重要な特徴は、その価値観、信仰、社会制度、社会構造であって、体格や頭部のかたちや肌の色ではないのだ。

（ハンチントン（鈴木主税訳）『文明の衝突』集英社、1998、54～55）

世界にはさまざまな宗教が存在する。最も広く信仰されているのはキリスト教、イスラーム、仏教の「三大宗教」で、それぞれキリスト、ムハンマド、ブッダという教祖をもつ「創唱宗教」である。その教義のもつ普遍性から様々の民族にうけいれられ「世界宗教」とも呼ばれている。一方、ある特定の民族がもつ宗教は民族宗教と呼ばれ、ユダヤ民族のユダヤ教、インドのヒンドゥー教、中国の儒教や道教、そして日本の神道などが該当する。ヒンドゥー教は７億人以上の教徒をかかえる大宗教ではあるが、教徒がおおむねインド亜大陸に限定されることから世界宗教とは呼ばれていない。

世界宗教がどのように誕生し、いかに広がったかをみれば、宗教のもつ「力」も明らかであろう。いずれも、当時の貧困や矛盾に満ちた社会の「変革の力」、「新しい思想」、「新しい生き方」として理解され受け入れられた。そして、宗教勢力は人々の心を救うと同時に、自らの理念によって理想世界の実現をめざす「革新勢力」でもあった。

キリスト教はローマ帝国の圧政やユダヤ教会の抑圧からの脱却と、人々の救済を目指した。そして、当時のローマ帝国の辺境シリアで支持者を得てローマ帝国内にも浸透し、やがてヨーロッパ全体に広がり、教会は政治的力として国家を動かした。イスラームは部族が対立を繰り返すアラブにおいて「唯一神の前の平等」を掲げる「変革勢力」として新たな王朝の基盤として受け入れられ、イスラーム商人などの活動も得て世界に広がった。インドの仏教はカースト制度への批判としてうまれ、万人が等しく悟りをひらく平等な社会の実現を訴え、国を動かす力となった。

同じ宗教においても教義をめぐって争い、多くの宗派が誕生した。

キリスト教はローマ・カトリックを母体としながら、ギリシャの地で東方正教として分離し、北ヨーロッパの宗教改革によりプロテスタントがうまれた。仏教は部派仏教を経て小乗仏教、大乗仏教へと展開し、イスラームはスンニ派とシーア派に分かれた。そして、キリスト教徒とイスラーム教徒が同じ聖地イエルサレムをめぐって戦い、スンニ派とシーア派が争うなど宗教の戦いは途切れることがない。

現代の文明

ハンチントンは現代の文明を宗教から問い直し、主要な文明として、ローマ·カトリックやプロテスタントの西欧文明、キリスト教東方正教会のロシア正教文明、儒教の中華文明、イスラーム文明、ヒンドゥー文明、仏教文明、ラテンアメリカの文明、神道・儒教・仏教をもつ日本文明をとりあげている。以下、それぞれの文明について、宗教の概要と、その宗教を核としつつ政治・経済・社会・文化など文明の原型を育み伝統を守った地域や中核国家の歴史について概説する（日本文明については第Ⅲ章を参照されたい）。

西欧文明

キリスト教

西欧文明の骨格をなすキリスト教はイエス・キリストを救世者とする一神教である。キリストとは「油を注がれた者」という意味のヘブライ語「メシア」のギリシャ語訳で「救世主」を指す。キリスト教は神ヤハウェを信じるイスラエル民族のユダヤ教を母体とする。イエスはユダヤ民族のみを救いの対象とし厳しい戒律をもつユダヤ教を批判し、唯一の神キリストを信じる者は誰でも救われると説いた。

ローマ帝国内で圧迫をうける人々は救世主を待望し、キリスト教への信仰が広がった。イエスによる布教活動は保守的なユダヤ教徒やローマ帝国にとって脅威となり、紀元30年頃イエスはいくつかの罪状を背負い処刑された。イエスは、罪ある人間を救済すべく自ら十字架にのぞみ、その3日後によみがえったとされている。

イエスの死後、弟子たちによって教団が組織化された。イエスの教えはローマ皇帝ネロなどによる激しい迫害をうけつつもペテロやパウロによってローマの領内で勢力を強め、3世紀頃までには聖典として『新約聖書』が成立し、4世紀初頭、ローマ帝国はミラノ勅令によって、キリスト教を公認した。4世紀末のテオドシウス帝は国教に定め、キリストの神性をめぐっては、「父なる神」、「その子イエス」、「聖霊」の三者を一の神とする教義を確定させた（三位一体説）。テオドシウス帝の死後、ローマ帝国は東西に分離し、以降キリスト教も西のローマ教会と東のコンスタンチノープル教会を中心にそれぞれの道を歩むことになった。

5世紀には、アウグスティヌスの神の国の思想をもとにローマ教皇を頂点に配下に教会をおく組織が確立した。ローマ帝国滅亡後はフランク王国のカール大帝がローマ皇帝を引き継ぎヨーロッパの各地に教会が広がった。

11世紀央、ローマ教会と、聖像崇拝、典礼、布教などをめぐり、西のローマ・カトリックと東の東方正教会（ギリシャ正教）とに分離した。西ヨーロッパではローマ教皇の権力が最高潮に達し、イスラーム勢力が聖地イエルサレムを陥落させると、奪還を目指し11世紀末から13世紀末まで十字軍を計7回派遣した。しかし十字軍の失敗が明らかになり市民の力も強まるとローマ教皇の権力は急速に衰え、14世紀後半には教皇がローマとアヴィニヨンに分立し教皇権の失墜が決定的になった。

15世紀末のイベリア半島ではカトリックの勢力がイスラーム勢力の追放に成功し（レコンキスタ）、大航海時代の幕開けと共にポルトガルやスペインはカトリックを再興すべくアジアや新大陸アメリカに向かった。16世紀ドイツのルターは教会を基盤におくローマ・カトリックを批判し、神と個人の結びつきと聖書を重視する宗教改革を唱え、新たな宗派としてプロテスタントが誕生した。これによって宗教間の争いが始まり、その地の政治をまきこみ、多くの戦いがうまれたが（宗教戦争）、17世紀のウエストファリア条約によって各王権のもとで宗教の自由を認めることで決着した。
そして、イギリス、オランダ、フランスのプロテスタントが北アメリカへの移住を始めるなど、キリスト教はカトリックとプロテスタントを両輪に世界へ向け広まっていった。世界の信者数はヨーロッパや南北アメリカを中心は20億人を超え、すべての宗教の中で最も多い。

欧米諸国の歴史

キリスト教社会は、5世紀のフランク王国のローマ･カトリックの受容から始まった。8世紀フランク王国はイベリア半島に侵入したイスラーム勢力を退け、9世紀にカール大帝がローマの帝位を獲得すると、以後、東のエルベ川、西の大西洋、北のバルト海、南のピレネー山脈まで、ゲルマン民族を中心にローマ文明を受け継ぎ、キリスト教を奉じる「ヨーロッパ」社会の原型が成立した。9世紀央、フランク王国は分割されて現在のドイツ・フランス・イタリアとなり、さらにブリテン島はイギリスとなった。9～10世紀には、ローマ・カトリック教会と領主・農奴による封建制を骨格とする社会が形成され、中世西欧文明が確立した。
11世紀には王権を退けて教皇の権力が高まり、13世紀には、生産力の高まりをうけて都市が発達して自由な空気が育まれ、十字軍運動によって東方の知識も広がり、市民の力が強まり、ローマ教皇権にかわり王権が力を強めた。
14世紀には宗教を見直し人間中心の新たな価値を追求するルネサンス運動が始まり新たな西欧文化が育まれた。15世紀末のイベリア半島でレコンキスタに成功し大航海によって、ポルトガルがキリスト教の布教と富を求めて、アジアに向かい、スペインは南アメリカ大陸を征服し太平洋をまたぐ世界の大帝国へと発展した。17世紀にはプロテスタントの国のオランダとイギリスが東インド会社を設立してアジアとの交易に乗り出しフランスもつづき、北米への移民も

リンカーン（1809 ~ 1865）

始まった。

18世紀後半以降、西欧社会は大きな変容を遂げた。イギリスでは産業革命がうまれ、産業の新たな制度として資本主義が形成され、経済力を強め市場を興隆するアジアに求めた。米の独立革命によって、議会による立法権、大統領による行政権、そして裁判所による司法権の三権分立を骨格とするアメリカ合衆国憲法が制定され、フランス革命では「人間は生まれながらに自由かつ平等な権利をもつ……」人権宣言が発せられた。19世紀央、南北戦争をへたアメリカはリンカーン大統領が奴隷を解放し、「人民の人民による人民のための政治」を打ち出し国民国家の先頭に立った。そして、プロテスタントの移住者によって開拓されたオーストラリアやニュージーランドなどに広まった。

19世紀末、欧米諸国はアメリカやドイツを先頭に第二次産業革命による工業化によって巨大都市がうまれ、そこに形成された大衆社会には豊かな文化が育ち、現代につづく西欧文明が創造された。しかし、欧米諸国は経済と軍事力を前面に世界に経済圏を求める帝国主義を打ちだして相互に争い、20世紀には二つの世界大戦を勃発させた。

こうしたなか、大戦の主役となったアメリカの繁栄は世界の成功モデルとなり、多くの国々はすすんで資本主義や市場主義的な経済体制を導入した。しかし、20世紀末、世界の多極化がすすむなか、西欧文明の中核である米英仏などが人権・民主主義・市場経済を原則とする普遍主義の主張は、特に専制的色彩の強い中国やロシア、さらに宗教を当時の基盤とするイスラーム諸国との間でさまざまな衝突を招いている。

東方正教文明（ロシア正教文明）

キリスト教東方正教会

東方正教文明の骨格をなすキリスト教東方正教会はギリシャ正教とも呼ばれるキリスト教の宗派で、西のローマ・カトリック同様、三位一体説を信仰の柱とし、コンスタンチノーブル教会を中心に、東ローマ帝国とその後のビザンツ帝国において信仰されてきた。そして現在の東方正教はロシア、ウクライナ、ルーマニア、ブルガリア、セルビアなど東欧やバルカンの国々に広がり、それぞれ各地伝統の儀礼や典礼を重視し、ロシア正教会、ウクライナ正教会、ルーマニア正教会、ブルガリア正教会、セルビア正教会などに分立し、相互の連帯を保っている。

8世紀頃から教義や、布教をめぐってローマ教会との対立が始まった。このころのビザンツ帝国はイスラームの影響をうけて聖像崇拝を厳禁する政策（イコノクラスム）をとり、聖像崇拝派の修道院を弾圧しローマ教皇との関係悪化が表面化した。この争いは聖像崇拝を正統とすることで決着したが、9世紀に入り、ローマ教会がフランク王国との関係を深めカール大帝にローマ皇帝を戴冠するとビザンツ皇帝との関係も急速に悪化していった。

こうしたなか、ビザンツ皇帝の保護のもとでコンスタンチノープル総主教は自らの教えを正しいキリスト教「正教（オルソドス）」とし、以降、この東の教会は東方正教会と呼ばれるようになった。さらに、ギリシャ人宣教師によってスラヴ民族への布教が始まると、ブルガリアやスラヴへの布教をめぐりローマ教会との対立が始まった。

10世紀末にはキエフ公国皇帝が東方正教へ改宗し、その後も布教をめぐる対立がつづき、11世紀央、ローマ教会と正教会は互いを破門し完全に分離した。

11世紀末、東方正教会は聖地エルサレムがイスラーム勢力の手に落ちるとローマ側に十字軍を要請した。ローマ側はこれを東西教会の統一の好機としてもとらえたが、13世紀初頭の第4回十字軍で、ローマ軍がコンスタンチノープルを占領しラテン帝国を建てると東西教会の統一は夢と消えた。

15世紀央、ビザンツ帝国の首都コンスタンチノープルがイスラーム勢力のオスマン帝国によって陥落し、以降ビザンツ世界はイスラームの手に落ちた。そして東方正教の拠点はモスクワのロシア正教会へと移り、16世紀末、モスクワが総主教座として昇格し東方正教世界における確固たる地位を築いた。

東方正教の社会には西欧社会の根幹であるルネサンス、宗教改革、そして啓蒙思想などの影響がおよばず、ビザンツ時代の伝統を守っている。共産主義によって無神論をとるソ連時代のロシア正教会は、一貫して弾圧を受けつづけ、大多数の聖堂が破壊され、聖職者・修道士・修道女・信徒が虐殺されるなどの甚大な被害を受けた。しかし、ロシア連邦の復活とともに政権の保護をうけ再び教勢を強め社会の中心へと復活を遂げている。

ロシアの歴史

東方正教文明はビザンツの伝統とスラヴの文化がその骨格をなし、現在の中核国家はロシアである。

ロシアは、3世紀から8世紀にかけヨーロッパ北方に居住した東スラヴ人の国家に始まる。9世紀には東スラヴ人の戦士と子孫によってノヴゴロド国が建ち、その後キエフ大公国が設立され、10世紀末東方正教を受容すると、以降キリル文字などの正教文化が広がった。

13世紀前半からモンゴルの支配をうけたが、15世紀後半イヴァン3世がキエフ大公国の文化的遺産を受け継ぎ、モンゴルの支配を退け、モスクワ大公国として自立に成功した。大公はコンスタンチノープル陥落をうけてビザンツ帝国最後の皇帝の姪と結婚し東方正教会の保護者としての地位につき、崩壊したビザンツ帝国の紋章とツァーリ（皇帝）の名を引き継いだ。イヴァン4世以降、皇帝のもとにロシア正教会の組織をおき農奴制をとり専制色を強めた。

17世紀初頭ロマノフ王朝が建ち、20世紀初頭の共産革命まで約300年間つづいた。17世紀後半ピョートル1世がたち、ヨーロッパの軍事や科学技術を積極的に導入しロシア近代化の先頭に立った。18世紀初頭、首都サンクトペテロブルグを建設し、スェーデンとの北方戦争に勝利し、専制君主体制（ツァーリズム）を確立し、そしてロシア正教を配下においた（ロシア帝国）。その版図はポーランドからユーラシア大陸北部をへて、北米シベリアまで拡大し、19世紀前半にはナポレオンのロシア遠征を退けた。

19世紀央には南下政策を前面に出した黒海に進出したが、クリミア戦争で英仏の支援を得たオスマン帝国に敗れ、その後は農奴解放などの改革を進めた。しかし、南下と西進の手を緩めず、20世紀初頭、朝鮮半島に進出し極東に台頭した日本と戦った（日露戦争）。この間革命運動が勃発し（血の日曜日事件）、日本との戦いに敗れた。

その後スラヴ主義を掲げて矛先をヨーロッパに向け、英仏との協商関係を結び（三国協商）ゲルマン主義を掲げるドイツと第一次大戦を勃発させた。大戦中、レーニンの共産革命によりロマノフ王朝は

レーニン（1870～1924）

倒れ、戦線を脱して世界初の共産主義国家を建国した。周辺諸国を吸収しソヴィエト連邦となり、宗教を否定してロシア正教から脱し、世界に向け国際共産主義活動（コミンテルン）を展開した。第二次大戦ではヒトラーとの対独戦争に勝利し、戦後の東西冷戦では対峙する資本主義の米国と双璧をなす超大国となった。

しかし、ソ連共産党による一党独裁の弊害が噴出し、1989年アメリカと冷戦終結を宣言し、1991年ソ連は崩壊した。ソ連時代の周辺諸国が独立を果たしロシア連邦となったが、旧ソ連の国際的な権利（国連安保理の常任理事国など）や国際法上の関係を基本的に継承し大国としての影響力を保持している。

ロシアは多民族国家であり、ロシア人、ウクライナ人、ベラルーシ人やポーランド人を含めたスラヴ系全体が、8割以上を占め、その他、チュルク系、コーカサス系、ウラル系、モンゴル系など多数の少数民族が居住する。現ロシアは諸民族を一体化すべく、ロシア帝国の時代と同様にロシア正教を配下におさめ社会の再興を打ち出している。

中華文明

儒教

中華文明の骨格をなす儒教は、中国の政治思想の基盤となり、周辺の朝鮮、東南アジアのベトナム、そして日本にも大きな影響を与えてきた。

儒教は、前5～6世紀の春秋時代、孔子によって体系化された。孔子は武力による覇道を批判し、仁義の道を実践し、上下秩序の弁別を唱え、支配者の徳による王道をもって天下を治める徳治主義を主張した。このころには自説を掲げて諸国を遊説するさまざまな思想家が輩出し、特に老子や荘子は形式的な孔子の道徳論を批判し、無為自然を唱えながら不老不死や現世利益を肯定する道教を唱え広く庶民に広がった（諸子百家）。

前3世紀の漢は儒教を統治の基盤においた。6世紀末からの隋・唐の時代にも儒教は国家統治の基本理念となり、官吏登用制度として科挙が始まると試験の基礎知識となり、貴族階級にとって不可欠な教養となっていった。唐の時代は他の宗教にも寛容で道教や仏教が保護され、景教（ネストリウス派キリスト教）やゾロアスター教も盛んになった。

11世紀以降の宋の時代に儒学革新の動きが強まった。朱子（朱熹）は理（宇宙の根本原理）と気（物質を形成する原理）による存在論と事物の真理を究明する認識論を体系化した朱子学（宋学）を築き、政治秩序においては大義名分論や漢民族を正統とする華夷思想を訴え、以降漢民族による中国統治思想の基盤となった。

14世紀、元にかわり漢民族の王朝となった明の時代には永楽帝が朱子学の理念を『性理大全』としてまとめ、さらに科挙用の教科書として『四書大全』・『五経大全』を制定し国教に定めた。一方、朱子学の倫理重視を批判する動きもうまれ、王陽明は心と行動を重視し知行合一を説く陽明学を唱えた。17世紀、明から満州人の王朝の清になり、清は儒教（朱子学）による政治の伝統を維持した。19世紀西洋の圧力が強まるなか、清は儒教の道徳観にたち西洋の技術導入を目指す中体西洋を掲げたが改革は進まなかった。

20世紀初頭、孫文が三民主義を掲げた辛亥革命によって清は滅び中華民国が成立した。革命によって政治理念としての儒教は失墜し中国民衆を束縛する封建的理念として批判の対象となり、日本への留学生によって新らたな精神としてデモクラシーやサイエンスが強調された。20世紀央共産革命によって中華人民共和国が成立したが、そこでも「儒教は革命に対する反動である」とされ、文化大革命期には孔子の思想は徹底的に弾圧された（批林批孔運動）。

しかし、21世紀に入ると中国の経済成長と共に、むしろ中国伝統の儒教を再評価して弾圧の対象から保護の対象に転換する動きが強まった。そして、孔子を国際的に著名な教育者と位置づけ、中国国外の大学などの教育機関と提携して孔子学院を設立し、その思想の世界展開を推進している。

中国の歴史

中核国家は中国である。前3000年頃の長江や黄河の流域に都市文明がうまれ、前1000年頃には殷・周などの王朝国家が成立し、各地に興った都市国家が相争う春秋戦国の時代が続いた。

前3世紀、秦が中国を統一し、秦王は法家の思想による中央集権制をしき、王を超える称号として皇帝を用い、自らを始皇帝と名乗った。万里の長城を拡大改修して北方民族の侵攻に備えた。その後、漢が400年にわたり中国を支配した。武帝は匈奴を撃退してシルクロードを開き朝鮮半島やベトナムにも侵攻した。こうして中央集権制をしき統治の基礎を儒学の徳治主義におく中国政治の基礎が固まった。2世紀末漢が滅亡すると6世紀にかけ、中国は地方豪族の割拠を経て魏呉蜀の三国が鼎立し、北方から異民族の侵入も受け、やがて長江の南北の王朝が対立する時代となり、江南の経済開発がすすみ、この間、豪族は大土地を所有する貴族となった（魏晋南北朝の時代）。

6世紀末貴族勢力により隋が中国を統一した。7世紀には唐が建ち律令制をしいて大帝国へと発展した。首都長安にイランや中央アジア・朝鮮・日本などの使節・留学生が集まり国際色豊かな文化が花開き、漢字、儒教、仏教、道教が隆盛し東アジア全域に広がった。唐代中には土地の公有化（均田制）が崩壊して私有化（荘園）がすすみ、小作農（佃戸）を使い生産力を高めた新地主層が台頭した。10世紀初頭、唐は各地の藩鎮（節度使）の反乱によって滅びた。中国は節度使や新興の武人が乱立する抗争の時代となった（五代十国の時代）。

10世紀後半宋が建ち漢民族による中華文明の原型ができあがった。この時代には漢民族社会の指導原理として儒学を哲学的に深めた宋学（朱子学）が確立した。宋は皇帝の強大な権力と科挙の整備・充実によって官僚による中央集権的専制政治を実現し、大土地所有制と佃戸を基礎とする中国封建社会が成立をみた。産業が発達し貨幣経済が進展して大商人が勃興し、都市には庶民文化が育ち、儒教と並んで中国社会の精神的基盤をなす道教が隆盛した。

12世紀には北方遊牧民族の動きが活発となり、13世紀初頭チンギスカン率いるモンゴル族がユーラシア大陸各地に征服活動を広げ、13世紀後半、中国ではフビライによる元王朝が建ち、遊牧民のもつ蒙古至上主義的な政治支配がつづいた。こうしたなかでも中国封建社会の伝統は維持され、都市と農村の発展がつづき、イスラーム地域やヨーロッパとの東西交渉が活発となった

14世紀には漢民族の明が成立し伝統の中央集権的専制政治体制をしいた。鄭和を南海に派遣するなど朝貢国を広げ、商工業が発達して都市が発展し庶民が台頭した。16世紀にはキリスト教宣教師が来訪しヨーロッパの文化がおよんだが中国伝統政治体制は微動もしなかった。

17世紀には北方満州民族の清にかわり満漢平等の原則によって中国を支配した。政治や経済などの制度は明を受け継ぎ、17世紀後半から18世紀には、中国本土・東北地方・モンゴルに加えて、台湾・東トルキスタン（新疆）・チベットを版図に治め、朝鮮・ベトナム・ビルマ・タイなどを朝貢国においた。

18世紀末以降の中国は欧米諸国の圧力にさらされる混迷の時代となった。国内で反乱が広がり、19世紀前半にはイギリスを先頭に欧米勢力が巨大な中国市場を求めて押し寄せて不平等条約を結び、西欧流近代化へ動くも頓挫し、19世紀末にはフランスや日本との戦い

毛沢東（1893～1976）

に敗れ、立憲国家の建設も夢と消えた（白蓮教徒の乱・アヘン戦争・太平天国の乱・アロー戦争・洋務運動・清仏戦争・日清戦争・光緒新政）。

20世紀初頭、孫文は東京で中国同盟会を結成して革命をおこし、清にかわって中華民国を建てた（辛亥革命）。その後、政権をめぐって英米が支援する軍閥の国民党とソ連のコミンテルンが援助する共産党の争いとなり、日本が中国東北部に満州国を樹立すると両者は連合し（国共合作）、日本との戦いに発展した（日中戦争）。1945年日本がアメリカに敗れ中国を去ると両者の内戦となり、1949年毛沢東の率いる共産党が勝利し中華人民共和国（中国）が建国され、敗北した国民党は台湾に逃れ蒋介石の政権をたてた。

現在の中国は、儒教系の漢・満・朝鮮、仏教系のモンゴル・チベット、イスラームのウィグルからなる多宗教・多民族・多言語の国家である。最大の民族集団は漢族で人口の90％以上を占め、その他が少数民族である。少数民族といいつつ、チワン族（1,600万人）、満族（1,000万人）、回族（900万人）、ミャオ族（800万人）、ウィグル族（700万人）、イ族（700万人）、モンゴル族（500万人）、チベット族（500万人）、プイ族（300万人）、朝鮮族（200万人）などであり、それぞれが大きな民族集団をなしている。中国は、国内に居住する全ての民族を「中華民族」と規定し、中華民族の一体化、そして共産党の指導と伝統の儒教社会を重視する中華文明の再興を打ち出している。

朝鮮の歴史

朝鮮は、中国の王朝が変わると、自らの政権も変わる中国の属国としての歴史がほとんどで、時に北の満州の民族や海を隔てた日本からの侵攻も受けた。

朝鮮半島は、紀元前2世紀ころの衛氏朝鮮の国家から始まり、その後、漢の武帝が侵入してこれを滅ぼし楽浪などの四郡が設置された。4世紀初め高句麗・百済・新羅などの朝鮮諸族が台頭し、7世紀後半には新羅が唐と組んで百済を滅ぼし高句麗を破って半島の統一に成功し、10世紀には勢いを増した高麗がこれにかわり、14世紀に朝鮮王朝（李氏朝鮮）が建った。

この朝鮮王朝の時代が14世紀末から20世紀初頭まで500年と長く、仏教にかわり中国の朱子学が統治の基本理念となり儒教道徳が民衆の中に日常の生活規範として深く浸透した。科挙に合格した高級官僚である文官・武官の両班が王権を支え、一方で両班は朱子学の解釈を前面に立て激しい対立を繰り返した。そして中国で満州人による清が成立すると、華夷の別や大義名分論の立場から朝鮮こそが儒教の正統を継承しているとする小中華思想も形成された。

19世紀末になると日本が半島に進出して清とロシアと争い、20世紀初頭には日本に併合された（韓国併合）。第二次世界大戦が終結すると日本の支配から解放されたが、戦勝国の米ソ両大国に占領され南北に分断された。米ソ冷戦が始まると、1950～53年に北が南に侵攻する朝鮮戦争が勃発し、戦いは膠着し休戦となり、南北は北緯38度線を軍事境界線とし今も対峙を続けている。そして北朝鮮、南の韓国の社会では、共に、今もなお儒教道徳が社会の規範として重きをなしている。

イスラーム文明

イスラーム

イスラームは、7世紀のアラビア半島で創唱された。「イスラーム」はその言葉だけで神へ帰依し服従する宗教性をもち、「教」をつけず単にイスラームと表記することが多い。イスラームはアッラーを神とし、ユダヤ教、キリスト教につづく一神教である。ユダヤ教徒は使徒モーセを通じて伝わった旧約聖書の「十戒」を信じた人々、キリスト教徒は使徒イエスを通じて伝わった福音書を信じる人々、そしてイスラーム教徒（ムスリム）は、神の最後の預言者であるムハンマドを通じてクルアーン（コーラン）とムハンマドが発した言葉や行動をまとめたハディースからつくられたイスラーム法（シャリーア）を守る人々である。

イスラームの基本は六信五行にある。六信は信仰の基本で、①アッラー、②神の啓示を運ぶ天使、③それを人間に伝える使徒（預言者）、④神からの啓示を書き留めた啓典、⑤最後の審判のあとにくる来世、⑥神の予定、を信じることである。五行とは信徒の果たすべき義務で、①信仰告白は多神教の神を信じず唯一の神を信じること、②礼拝は夜明けから夜半まで日に五回礼拝し信徒一人一人が神への服従と感謝の念を示すこと、③喜捨は富裕なものの義務であり社会平等の理念であること、④断食は精神力を高めるものでラマダーンの月には一切の飲食と性行為を避けること、⑤巡礼は世界各地のムスリムがメッカに会し連帯感を高めること、である。こうして異教徒を保護民（ジンミー）として包摂する寛大さをもちながら、寄付（ワクフ）によって社会資本を集めて利子を禁止するなど自制的な経済活動を営んでいる。

7世紀後半、後継のカリフの座を巡り、体制派のスンナ派（「ムハンマド以来の慣習〈スンナ〉に従う者」の意）と、ムハンマドの従兄弟アリーとその子孫のみがイスラームの共同体を指導する資格があると主張するシーア派（アリーの党派：シーア・アリー）とに分裂した。現在では、多くの国がスンナ派に属するが、誇り高きペルシャ人の大国イランはシーア派を堅持している。

10世紀、アッバース朝を中心にイスラーム社会が安定するとイスラーム法学者（ウラマー）によってイスラーム法（シャリーア）が成立した。一方で律法主義への反動も生まれ、自我の意識から脱却して神との一体化を実践する修道者（スーフィー）による神秘主義集団もうまれた。

イスラームはモスクの祈りを中心に遊牧民や商人など「移動する人々」によって世界へと広がった。中東のサウディアラビア、イラク、シリア、イラン、トルコなどを中心とし、アフリカのエジプト、内陸部や海岸部や東南アジアのマレーシア、インドネシアなどで信仰され、その信者は世界で12億人以上に達している。

イスラーム諸国の歴史

イスラーム国家は、宗教、政治・軍事の拠点、商業・交易などの大都市を中心にその地の伝統と融合しながら成立し、7世紀のイスラーム誕生の地であるメッカ・メディナ、ウマイヤ朝のダマスクス、9～10世紀のアッバース朝のバグダード、10世紀エジプト・ファーティマ朝のカイロ、14～15世紀中央アジア・ティムール帝国のサマルカンドなどがその拠点となった。

9世紀のアッバース朝の時代にイスラーム社会の基礎が固まった。イスラーム法（シャリーア）による統治が確立し、アラビア語が共通語となって、政治の安定と経済の繁栄がもたらされ、バグダッドを中心に、法学や哲学、歴史や地理や文学など多数の書物が著されるなどイスラームの独自文化が花開いた。

15～18世紀になると、中東やインドを中心にイスラームの大帝国が君臨し、広くイスラーム文明として隆盛した。トルコのオスマン帝国ではアジア・ヨーロッパ・アフリカの三大大陸の要衝イスタンブルを中心に、イランではサファヴィー朝のイスファハーンを中心に、またインドではムガル帝国の北インドのアグラを中心にその地の文化を吸収し、そこに集住した商人・知識人・宗教家によってインドのイスラームの文化が花開いた。

18世紀末のナポレオンのエジプト遠征以降、イスラーム諸国は、市場を求める欧米諸国の圧力にさらされる混迷の時代をむかえた。19世紀にはオスマン帝国領のアラビア半島では厳格なイスラームを主張するワッハーブ運動が高揚し、ギリシャが独立し、イランも自立に動くなか、西欧流改革への動きもうまれた。19世紀央、イギリスの進出をうけたインドで反乱が勃発するなど西欧の脅威が一段と強まるなか、アフガーニーによるムスリムの団結（パン＝イスラーム主義）、イスラーム本来の教義への復帰（サラフィーヤ）、シャリーアの再解釈によるイスラームの改革などの動きがうまれた。

20世紀には、近代科学の摂取や専制政治を打破して立憲制を求めるオスマン帝国やイランなどの革命へと展開したが、第一次世界大戦でドイツ側に立ってオスマン帝国が敗退し解体すると中東は大きく変化した。オスマン帝国はアナトリア半島を中心とするトルコ共和国として縮小し、イランではパフレヴィー朝が成立し、英・仏な

ホメイニ（1902～1989）：イラン・イスラーム原理主義革命の指導者

どの大戦中の密約による強引な国境設定によって、ユダヤ教国家イスラエルの建設が認められ、エジプト、イラク、サウディアラビアなどの諸国家がイスラーム国家として独立した。第二次大戦後直後にイスラエルが建国されると、その後４次にわたる中東戦争が勃発し、未解決のパレスティナ問題として今につづき、さらにシーア派のイランでイスラーム原理主義革命が勃発しスンニ派の盟主・サウディアラビアと鋭く対立するなか、イスラームの諸国家の底流でイスラーム復興を掲げる運動が宗派・民族・部族の亀裂を抱えて進行し、混迷は一段と深まった。

21世紀にはいると、聖戦を唱え武力や暴力を容認するジハード主義者はニューヨークでテロを実行し大きな脅威となっている。巨大な石油資源によって世界のエネルギーの要である中東は世界の大国の思惑も絡み不安定化し、また欧米への数百万規模を超えるムスリムの移民問題も不安定化を加速させている。

ヒンドゥー文明

ヒンドゥー教

インド亜大陸のヒンドゥー文明は、紀元前2600年頃のインダス文明を出発点とし、紀元前2000年頃インド北西部に侵入したアーリヤ人とインド原住民・ドラヴィタ人との混淆によって形成された。ヒンドゥー教が社会制度などあらゆる面でインドの文明の基盤をなし、インドとネパールに広がっている。ヒンドゥー教徒はインド国内で10億人、その他の国とあわせ約11億人以上とされ、信者の数でキリスト教、イスラームに続く、世界第三の宗教となっている。

ヒンドゥー教は、アーリヤ人による天・地・太陽・火・風雨・雷・川などの自然崇拝の伝承を集約した聖典ヴェーダを掲げるバラモン教を源流とし、そこにインド独自のさまざまな神々や崇拝様式が吸収された宗教であり、まさにインドの民族宗教、あるいはインド的伝統といえる。

ヒンドゥー教は多神教で、「ヴェーダ」に起源をもつ宇宙を創造した神ブラフマー、宇宙の神ヴィシユヌ、破壊の神シヴァから、小さな村の守護神や樹神、家庭内にひっそりと安置される素朴な神々まで、さまざまな神々が信仰されている。無限に再生を繰り返す輪廻（サンサーラ）を教義の根本におき、「人間の本質は実体的な霊魂である。一方、人間の行為・業（カルマ）はのちにも影響を及ぼす潜在的な力をもち、霊魂がこれを担うゆえに、人は死後、生前の業に従ってしかるべき死後世界に生まれ変わる」という。

ヒンドゥー社会はカーストを基本とする。カーストは司祭者階級のバラモン、王侯武士階級のクシャトリア、庶民階級のヴァイシャ、奴隷階級のシャードラの四つの階級からなる身分（ヴァルナ）に職業（ジャーティ）を併せ成り立っている。バラモン・クシャトリア・ヴァイシャの上位三身分は、ヴェーダの学習をおこなう学生期、結婚して家長として生活する家長期、家事を後継者に委ねて森林などに隠居する林住期、すべての世俗を離れて放浪の生活をおこない人生の完成を求める遊行期の四住期に分けながら生活を営むことを理想としている。女性はヴェーダを学べない存在として最下層の奴隷と位置付けられ、夫の死後は再婚が許されず、夫を追って死ぬサティ（寡婦殉死）などの風習があり、今でもその慣行を残している。

前5世紀、バラモン教のヴェーダ儀式やカースト制からの開放を目指して仏教やジャイナ教が生まれ、前3世紀に成立したマウリア朝は仏教を保護し隆盛した。しかし、4～6世紀、北インドをグプタ朝が統一するころバラモン教の形式主義を克服して民衆生活と密着したヒンドゥー教が確立し、やがて仏教やジャイナ教をしのぐ存在となった。そして信愛を意味し、聖典の権威や煩雑な儀式にとらわれず、ひたすら神を想い、神を愛し、神に身をささげることを説くバクティ運動によって全土に広がった。

8世紀にイスラームとの接触が西インドから始まり、16～19世紀にはムガル帝国が成立しイスラームの支配下となったが、この間もヒンドゥー教は民衆のなかでしっかりと生き続け、イスラームと融合したシク教も創始された。18世紀以降イギリスの植民地支配によってキリスト教や西欧啓蒙思想がおよぶと、19世紀にはインド民族のアイデンティとしてヒンドゥー教が自覚され、ナショナリズムが高揚し反植民地運動の基層となった。

インドの歴史

インドではインダス文明、その後の古代国家の成立を経て、前4～前3世紀にかけマウリア朝がインド亜大陸をほぼ統一し中央集権国家を築いた。前2世紀ころには西北部インドとデカン高原の諸国家が優勢となり、1世紀にはクシャーナ朝が建ち3世紀にはイラン・ササン朝に服属した。4～6世紀には北インドをグプタ朝が再統一し、8～12世紀には再び諸国家分立の時代となり各地の文化が発展した。

10世紀頃からインドにイスラームが広がり、13世紀にはデリー諸王朝が成立した。15世紀末大航海時代が始まり、ポルトガルのヴァスコ＝ダ＝ガマがインド航路を開き、16世紀初頭ゴアを占領した。こ

ガンディー（1869～1948）

うしたなか、16世紀前半にムガル帝国が建国され、第3代アクバルの時代から17世紀にかけて繁栄を誇り、タージ＝マハール廟に代表されるインド＝イスラーム文化が花開いた。この間、17世紀初頭オランダ・イギリス・フランスが東インド会社を設立しインドに拠点をおいた。

18世紀に西部デカン高原でマラター勢力が台頭するとムガル帝国は衰退にむかい、19世紀初頭、イギリスはこれを機としてデリーを占領してインドへの圧力を強めムガル帝国を保護下におき、19世紀央、インド兵によるイギリスへの大反乱が勃発するとイギリスが力でこれを鎮圧した。ムガル帝国は滅び、インドはイギリス領となりヴィクトリア女王がインド皇帝に即位した。

イギリスはインドのイスラームとヒンドゥー教の宗教的対立を利用しながら分割統治を行ない、新たな土地制度や司法制度の導入をすすめ、インドの伝統的社会との軋轢が深まった。こうしたなかでインドの民族運動が高揚し、運動はイスラームのインド＝ムスリム同盟とヒンドゥー教徒の国民会議派に分離し、両者は対立を強めた。

20世紀前半の第一次大戦後からガンディーを中心とする国民会議

派がインド独立を打ち出し、イスラーム勢力とヒンドゥー勢力の対立は一段と激しさを増した。そして第二次大戦が終わるとイスラームの強いインド東西のパキスタンと、ヒンドゥーの強い中央のインドとに分離独立し、その後東パキスタンはバングラディシュとして独立した。

独立後のインドは、国民会議派のネール首相のもとで政教分離、社会主義、非同盟主義を掲げ、地方の藩王国統合、憲法制定、普通選挙導入、言語による州再編を進めた。1960年代以降、中印戦争、印パ戦争、経済危機によって国民会議派が優位を失い、90年代には政治の多党化・連立化がすすむなか、伝統のヒンドゥーを掲げるインド人民党が台頭して自由化による改革を進め、新たなインド社会の構築を訴えながら経済発展を主導している。

仏教文明

仏教文明は、小乗仏教が、スリランカ、ミャンマー、タイ、ラオス、カンボジアに広がり、チベット、モンゴル、ブータンでは大乗仏教の一派であるラマ教が信じられ、これらの諸国の社会の基層をなしている。

仏教は、前5世紀ころインドのブッダによって創唱され、一般にキリスト教、イスラームとともに世界宗教とされる。前6世紀頃、ガウタマ＝シッダールタによって創唱され、ブッダ（仏陀、真理を悟ったもの）の尊称で呼ばれるようになった。自らの修行と思索による自由な思想をもとに、アーリヤ人がもたらしたバラモンの思想がもつ出生や身分による人間の価値づけを見直した。

仏陀は正しい生き方を中道と呼び、極端な苦行や快楽を否定して正しい道の実践に努め、自我の欲望（煩悩）を捨てることによって解脱し涅槃の境地に達することができると説いた。そして根本教説を一切皆苦、諸行無常、諸法無我、涅槃寂静の「四法印」におく。すべてこの世のものは人為であれ自然であれ有限かつ相対的な存在であり（一切皆苦）、花は散り、人は老い必ず死ぬ、これが人生の事実であり（諸行無常）、ものはすべて因と縁から現れるのであってそこには何ら実体性はなく（諸法無我）、したがって、努力して生きた結果、富貴をうるも因縁、下積みで終わるのも因縁であり、その理をわきまえず苦しむのは我執であって、我執を去ればそこに煩悩の消えさった静かな境地が訪れる（涅槃寂静）という。ブッダの死後にはさまざまな部派に展開し、各部派によって経典が編纂された。

前3世紀のマウリア朝のアショーカ王は部派のひとつ長老（上座）を中心に厳格な規律を重視する上座部仏教を保護して全インドに広げ、スリランカや東南アジア一帯へ広がった（南伝仏教）。1世紀頃、中央アジアから北西インドにかけてクシャーナ朝がおこり、2世紀のカニシカ王は新たにおこった大乗仏教を保護した。大乗の側は、旧来の上座部仏教は自己一身のみの救いを求めとして小乗と呼び、自らを上座部仏教の自己救済を超え広くすべての人の救済を願う大乗として位置づけ、信仰の中心に菩薩をおいた。このころ、ヘレニズムのギリシャ彫刻（ガンダーラ美術）の影響をうけ、はじめて仏像がつくられた。そして、大乗仏教は仏像などとともに、北インドから西域を経て後漢の時代に中国へ伝播し、朝鮮半島を経て日本へも伝わった（北伝仏教）。

4世紀になるとガンジス川流域に興ったグプタ朝は、インド伝統のヒンドゥー教を保護し、その支持が民衆に広がった。7世紀、大乗仏教にも神秘的な呪術によって現世の利益を求めるヒンドゥー教の影響がおよび、その一宗派として密教がうまれた。密教は中国にも伝わり、日本では、9世紀中国に渡った空海や最澄によって真言宗や天台宗となった。その後は生誕の地インドではヒンドゥー教の前に勢力を失い、中国では儒教や道教、日本では神道など、その国の文化と同化していった。

ラテンアメリカなどの文明

アメリカ大陸では1万3000年前の旧石器文化の存在が明らかになっており、人類はベーリング海峡が陸橋であったころ、そこを渡りアメリカ大陸へ向かったとされる。しかし、最近は日本列島からアリューシャン列島、アラスカ・カナダ・アメリカ・メキシコの太平洋沿岸ルートも有力視されている。

現在のラテンアメリカの文明は、16世紀からスペインやポルトガルの支配をうけている。そのため、カトリックとプロテスタントの組み合せではなくカトリックのみの影響を受けた西欧文明であり、それが古代の文明と混じり合っている点に特徴がある。アルゼンチンやチリでは土着文化の影響は少ない。

前1500年ころから、北米大陸のメキシコ高原やユカタン半島、すなわち現在のメキシコとその南のパナマ地峡に至る地域には、メソアメリカ文明と総称される古代文明が栄え、トウモロコシ、インゲン、カボチャ、トウガラシなどの農耕と綿の栽培をもとに土器や織物が発達した文明が成立し、その後各地にさまざまな特徴ある文明が展開した。

メキシコ高原では、前1200年頃から前400年にかけ都市文明が形成され石造建築や絵文字などをもつオルメカ文明がうまれた。前2世紀から7世紀にかけては、太陽のピラミッドなどの巨大石造建築をうんだテオティワカン文明が形成され、海抜2200mにある中心都市テオティワカンは4～7世紀には人口20万人を超え、当時の20万都市コンスタンチノープル、洛陽や長安、アレクサンドリア、クテシフォンに並ぶ繁栄をみせた。9世紀には軍事力に勝り城塞都市を特徴とするトルテカ文明が形成され、15世紀には現メキシコ人につながるアステカ人が勢力を強め、都をテノティトラン（現メキシコシティ）におきピラミッド型神殿や絵文字をもつアステカ文明が成立をみた。

ユカタン半島、現在のグアテマラからメキシコにまたがる地域では前500年頃からマヤ文明が形成された。精密な暦、絵文字、20進法をうみだしピラミッド型神殿が建てられ、10世紀頃からメキシコ高原のトルテカ人の侵攻を受け衰退に向った。

南アメリカ大陸のアンデス山脈とその周辺では、前1000年頃から16世紀初めまでアンデス高原の文明がうまれた。前1000年頃からペルー北部に南米大陸最古とされ、土器と金属器、地下神殿や石造建築をもつチャピン文化が現れ、2～5世紀にかけてはペルー南部海岸地方に魚や動物の絵柄をもつ土器や地上絵で有名なナスカ文化がうまれた。そして11世紀頃からペルー北部にいくつか農業国家がうまれたあと、15世紀にインカ帝国が成立し、アンデス山中に、首都クスコやマチュピチュなど、石像建築技術を駆使し灌漑や公共浴場、大都市をもつインカ文明が花開いた。

アフリカの文明はアフリカ大陸の北部と東岸はイスラーム文明に属している。歴史的にはエチオピアが独自の文明を形成した。それ以外の場所には帝国主義をとる西欧諸国が進出し、サハラ砂漠以南のほとんどの地域にキリスト教がもたらされたが、各部族は固有の文化と強烈なアイデンティティをもち、それぞれの国家を形成し現在まで続いている。

3　グローバルヒストリー

多極化する世界の「極」への視点として、狭い地域や国家の視点を離れ、地球規模の視点に立つ歴史に着目する。こうした立場は、「極」の間の関係や共通性を知るうえで我々が共有すべき歴史像であり、相互理解を深め共に発展するうえで不可欠となろう。

この歴史研究の視点は、アメリカの歴史学者ウォーラーステインが世界的視野にたち、大航海時代以降の世界の経済分業を研究した『近代世界システム』（1974）が始まりとされ、グローバルヒストリーと呼ばれている。従来の政治・経済、文化などに強く関わりつつ、歴史の深層をなすテーマを設定し、世界諸地域やさまざまな人間集団の関係や比較などの試みが数多く提示され、日本でも多くの研究成果が発表されている。そこに描く歴史像は、われわれが日常に接し、しかも社会全体に大きな影響を与えたもので、以下の特徴をもつ。

1）長い時間で、歴史を巨視的にみる：人類史をいかに巨視的にみるかに関心をおき自然科学系の学問との連携が不可欠になる。
2）テーマの幅広さと空間の広さ：従来ほとんど試みられなかった、世界全体、ユーラシア大陸やインド洋世界の陸域や海域という空間から、そのなかの経済、移動や交通などの構造や動きを研究する。
3）ヨーロッパ世界の相対化、近代以降の歴史の相対化：従来の歴史叙述の中心にあったヨーロッパ世界の歴史的役割や先進性の意味を再検討し、従来重視されなかったアジアなど非ヨーロッパ世界の歴史や歴史発展に注目する。
4）異なる地域間の相互関連と相互の影響の重視：単に地域比較で終わらず、異なる諸地域間の相互関連、相互の影響が重視される。
5）あつかう対象とテーマの新しさ：これまでの歴史が、政治や戦争、経済活動、宗教や文化などがおもなテーマであったのに対し、環境、疫病、人口、生活水準など、われわれの日常に近い、しかし社会全体や歴史変動のあり方全般にかんする重要な問題に新たに取り組む。
（水島司『グローバルヒストリー入門（世界史リブレット127）』、山川出版社、2010）

まず、1）や5）の事例として、今、喫緊の課題となっている地球環境について、環境の歴史研究の体系化を試みたアメリカの歴史学者J.ドナルド・ヒューズによる「地球環境の歴史」と、安田喜憲の「気候変動と民族移動」をとりあげる。

さらに2）、3）、4）の事例として、世界の経済やユーラシア大陸の帝国像に関するグローバルヒストリーについて概説する。

第一は「世界の経済システム」の変化である。アメリアの歴史学者アブ・ルゴドが示した13世紀の地域世界を中心にした交易の姿と、ウォーラーステインによる16世紀大航海時代以降の世界の経済分業の姿を比較する。これによって大航海時代を境とした世界経済の変化を読み取ることができよう。

第二は、大航海時代、ヨーロッパの勢力は繁栄するアジアへ向かったが、その「東アジアの経済発展」についてである。一つの答えは速水融らが示した農業分野の労働力投入による生産性向上（勤勉革命）であり、イギリス流の設備に投資する産業革命と比較し、アジアの自然のもとでの生産スタイルを確認できよう。

第三は、中国やロシアなどユーラシア大陸で君臨する権威主義国家の成り立ちである。森安孝男は「中央ユーラシアの帝国」と呼び、この約3000年前から15世紀にかけて隆盛した専制型・多民族支配国家の存立の基盤には遊牧民集団伝統の農耕民族を少数の人口で安定的に支配する組織的ノウハウとシルクロードの交易から得た富の蓄積があったと指摘する。今、英・米・仏など近代国民国家を構築した国々の歴史が詳細に論じられるなか、検討を深めるべき重要なテーマであろう。

第四は世界各地で多くの民族が、宗教、政治・経済、さらに文化の違いから様々な対立を繰り返すなかでの共存の姿である。15世紀から20世紀初頭まで、アジア・ヨーロッパ・アフリカの三大陸に君臨した多民族・多宗教・多言語のオスマン帝国は、スルタンを頂点とする中央集権制のもと、多民族共存の基盤を宗教共同体（ミッレト）におき、帝国発展のため民族にこだわらず有能な人物を積極的に登用した。鈴木薫はこれを「柔らかい専制」と呼ぶが、この体制の成立から崩壊までの歴史について明らかにする。

最後に、新たな世界史のとして、羽田正による共存をテーマとする「地球主義の世界史：価値の共有」の構想をとりあげた。多極化する世界のなかで皆が共有すべき世界史とは何か、一つの方向を示すものとして注目すべきであろう。

地球環境の歴史

地球環境の悪化によって人類の生存が危ぶまれるなか、我々にとって、環境変化の歴史を体系的にとらえ行動することが求められている。J.ドナルド・ヒューズは環境分野を体系的にとらえ、その歴史を概説した（環境史）。環境問題の具体例として、地球温暖化、気候変動、大気汚染やオゾン層の破壊、森林や化石燃料などの自然資源の枯渇、核実験や原子力発電施設の事故による放射線拡散の危険、世界規模の森林劣化、種の絶滅およびその他の生物多様性への脅威、減産地域から遠く離れた生態系の隙を狙う外来種の侵入、廃棄物処理と都市環境の諸問題、河川と海洋の汚染、荒野の消滅、自然の美しさやレクリエーションのための文化的な環境の喪失、そして敵対者の兵器や物資など武力衝突による環境への影響などを挙げ、その歴史研究の主題として、以下の三分野にまとめた。

環境史の主題の第一は環境そのものや環境が人間に及ぼす影響を扱う分野である。例えば環境が人間に与える影響としてマクニールは疫病をとりあげている。彼は、16世紀、わずか数百人のスペイン人がなぜ人口数百万のアステカ帝国を征服しえたのかと問い、それは軍事力の優劣ではなく、スペイン人によってアステカ人に感染症が伝搬し、免疫をもたなかったアステカ人が全滅したと主張する。そして寄生・宿主・ウイルス・バクテリアなどの脅威を、人類の共同体形成、収奪・征服行動等の歴史の深層としてもちこんだ。

第二は人間の営みが自然環境に及ぼす変化の衝撃、さらにそれが人の社会や歴史に及ぼす衝撃についての分野である。特に産業革命以降、土地利用・都市化・森林破壊のほか、石炭や製油など化石燃料を用いた工業化などが地球環境を激変させたことは明らかであろう。例えば、リチャーズは大航海時代を起点に地球の一体化がすすむ1500～1800年にかけて、地球環境の変化要因を取り上げ、以下の変化を明らかにした。

○人類による土地利用：
人類はこの間に倍増して約9億人に達し食料として米・小麦など特定の作物を選んで栽培し、この結果、定着農耕の拡大によって、生物の多様性が失われ狩猟・採集などの生活は消滅に向かった。
○人・物の移動に伴う生物学的な侵略：
移動には動物・植物さらには病原菌などが付随し、移動先の環境を大きく改変させた。
○大型の動物・鳥類のほかクジラなどの海洋哺乳類の枯渇：
これらの動物は、人類自身や人類が飼育する家畜に脅威を与えるもの、あるいは世界市場の商品価値から狩猟の対象となり収奪された。
○資源の欠乏と不安定性：
人口の増大と生活の高度化は、特に食料資源とエネルギー資源への要求を強め、いくつかの地域では資源を食いつぶす状況がうまれた。ウィリアムスは人類の環境破壊の一例として森林破壊を取り上げ、過去7000年にわたる人類活動から、特に近代、18世紀以降、人口増によって耕地面積を激増させ森林資源を激減・枯渇させたことを浮き彫りにした。

そして、第三の主題は自然環境をめぐる人間の思想や態度についての分野であり、宗教、哲学、政治思想、大衆文化などの思想が自然のあらゆる側面とどう向かい合ってきたかに着目し、それが地球とその生物系に及ぼした影響についてとりあげた。産業革命を境に、自然に対する人間の思想は変わった。それまでは畏敬の念や信仰の対象であった自然が、以降石炭や石油などの化石燃料を使い経済成長を優先させ、二酸化炭素を排出し、大量生産・大量廃棄による自然破壊を繰り返してきた。そして今温暖化などによって人類の存在の危機が叫ばれ、改めて自然との共存の思想の徹底が求められていると主張する。

気候変動と民族移動の歴史

人類の拡散について地球環境の変化との関連づけた歴史である。安田は、湖底などに堆積する土や泥の年輪に着目し（年縞）、そこに閉じ込められた花粉・珪藻・プランクトン・ダスト・大型動物の遺体・粘土鉱物の変化から地球環境の歴史を明らかにする新たな研究手法を開発し、寒冷化や温暖化の気候変動の時期と歴史を動かした民族移動などの関係を明らかにした。

○3万年前の寒冷化：
ネアンダール人の絶滅、ホモサピエンスの登場。
○1万5000年前の温暖化：
モンゴロイドの東方移動。
○5700年前の寒冷化：
乾燥化と砂漠化による牧畜民の大河流域への移動。そこに定着していた農耕民との交流による文明の誕生（４大文明）。
○3000年前の寒冷化：
ヨーロッパ北方のゲルマン民族の移動、地中海周辺でのフェニキア人の活躍、インド北西部のアーリヤ人の南下・ドラヴィタ人の南インドへの逃亡、中国の北方遊牧民の南下による混乱（春秋戦国の時代）とその圧力によるモンゴロイドの南太平洋拡散。
○2世紀後半～3世紀と5世紀の寒冷化：
ロシア内陸部からのフン族の移動とヨーロッパのゲルマン民族の大移動によるローマ帝国の滅亡。西アジアのササン朝ペルシャの台頭。
中国の洪水･干ばつ頻発と農民反乱（黄巾の乱）による漢滅亡、その後の大動乱（五胡十六国の時代）。
○7世紀の寒冷化：
中東のイスラームの誕生と地中海侵入、東アジアの唐建国と勢力拡大。

○8世紀後半から13世紀までの温暖化とその間の寒冷期：
ヨーロッパでは北方から造船技術と航海術を持つヴァイキングの南下、イスラーム勢力の中央アジア・インド・アフリカ進出。東アジアでは唐の滅亡と遊牧国家と農耕国家が戦う混乱期（五代十国の時代）。そして、遊牧民国家モンゴル帝国のユーラシア大陸席巻。
○14世紀の寒冷化：
ヨーロッパの大飢饉とペスト大流行、英仏百年戦争。アジアでの遊牧民イスラーム国家オスマン帝国・ティムール帝国の台頭。
○17世紀の寒冷化：
ヨーロッパ食糧危機とペスト大流行、アメリカ大量移民の始まり。

これによれば、現代型新人ホモサピエンスは3万年前にこの地球世界の支配者になり、様々な環境の危機に直面しつつも、民族移動による居住空間の拡大によって危機を回避し、気候変動の影響を敏感に察知し、容易に移動可能な牧畜民・遊牧民それに海洋民が移動・拡散の主役となってきた。さらに17～20世紀には内乱や戦争という新たな環境変化によってアメリカ大陸などへの民族移動がうまれた。そして21世紀、人口爆発のなか、地球温暖化による干ばつや環境汚染による民族移動の危機の可能性を指摘している。

安田は、文明の興亡を地球環境の変動との関わりとし、文明の発展→人口の増大→森林の破壊→土壌の劣化→気候の変動→食料不足→疾病の蔓延→人口の激減→民族の移動→文明の接触・交流→新たな世界観の形成、という一連の流れでとらえる環境史観を打ち出した。

世界の経済システム：13世紀と16世紀以降

世界経済をシステムとみた歴史として、アブ・ルゴドが示した13世紀の地域世界を中心にした交易の姿と、ウォーラーステインによる大航海時代以降の経済分業システムについて要約する。大航海時代を境にした世界経済の大きな変化を読み取ることができよう。

地域世界の間の経済システム（13世紀）

アブ・ルゴドは、世界システムの視点を、様々な生産物や技術が陸や海によって伝えられる「移動や交易」におき、13世紀の地域世界の時代に着目した。そして、この時代にはモンゴル帝国の支配のもと、ヨーロッパ・中近東・インド・中国にいたる旧世界の多くの地域が陸と海のネットワークでつながる商品流通網が成立していたという。

この「世界システム」は8つのサブシステムから構成される。西には、ヨーロッパ内陸諸都市とヴェネツィアなどイタリア開港都市とをつなぐサブシステム１があった。これらのイタリア諸都市は同時に、コンスタンチノーブルを核に地中海から黒海にかけて成立するサブシステム２にも包含された。黒海と中国とを結ぶ内陸シルクロード地帯にはサマルカンドを中心とするサブシステム３、さらに紅海の湾岸にジッダやカイロのサブシステム４、ペルシャ湾岸にはバクダードなどを拠点としてサブシステム５が形成された。インド洋の交易海路はアラビア海沿岸を結ぶサブシステ６とベンガル湾のサブシステム７からなり、その東には南シナ海を軸に、当時の世界において最も先進的な地域、すなわち圧倒的な技術力と生産力をもつ中国につながるサブシステム８があった。

サブシステムのなかでは、ヨーロッパのジェノバ商人、中東のイスラーム商人、インド商人、マラッカ商人、そして中国商人など各地域の商人を中心に、そこに在地の商人が連なって各地の産物が流通した。そして、14世紀半ば、ペストや疫病の蔓延によって世界の人口が著しく減少し、中央アジアの陸上ルートが閉ざされて内陸と海上を結ぶルートが切断すると、この世界システムは解体した。このシステムの解体によって海上交通への要求が高まり、大航海時代をうみだす一因となりヨーロッパ勢力の勃興が始まったと主張する。

世界経済システム:「中核」と「周辺」による経済分業（16世紀以降）

ウォーラーステインは近代の地球規模の経済分業に着目した。そ

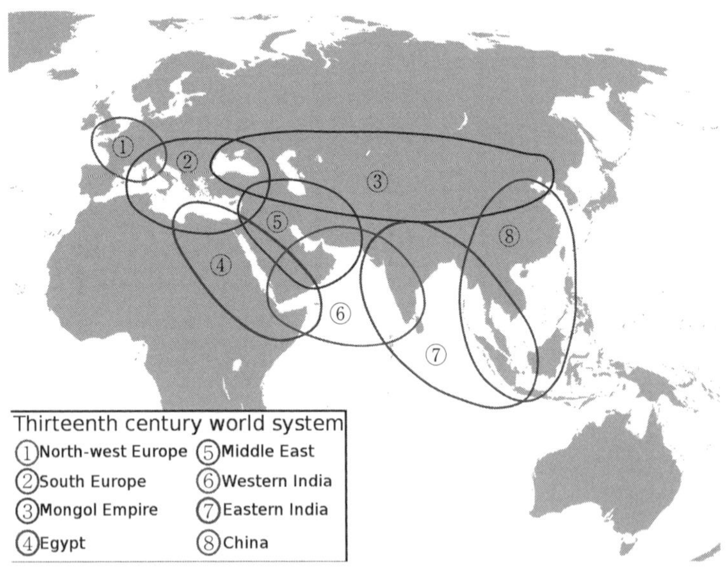

「13世紀世界システム」：ジャネット・アブー＝ルゴドの著作に基づく地図。

して、16世紀、大航海時代以降のヨーロッパの国々が主権国家を形成して領土と富を求めて競争し、産業革命以降には資本主義経済を分業によって地球空間に展開させる「近代世界システム」の歴史を提示した。

この経済モデルでは、各国・各地域にまたがって、世界市場向けに販売する商品が生産され、その中で各国・地域の間で分業が行なわれる。このシステムの中では、「中核」と呼ばれる一部の地域が全体に対する覇権を握り、それに対し、これを取り巻くかたちの諸地域が工業原料・食料などを供給する「周辺」としての役割を果たす。世界市場においては工業製品が原料よりもはるかに利益の大きい商品であり、周辺から中核にむかって富は移動し、結局、中核に利益が集中する。

16世紀の西欧は中国やインドと比べて経済的に劣ってはいたが

「中核」として覇権を握り、その「周辺」として東欧、南北アメリカを獲得していった。「中核」には17世紀には海洋国家オランダが位置し、19世紀には産業革命を先導したイギリスがたち、その後フランスとの植民地競争に勝利しその地位を確立した。蒸気船の普及など交通手段が発達するとアメリカ大陸への移民などによって巨大な世界市場が成立し、「周辺」はバルカン諸国、オスマン帝国、インド、中国、東南アジアなどに拡大した。そして20世紀にはアメリカが「中核」として君臨することになった。このシステムにおいては変革を要求する社会的・政治的運動がうまれ、中核においては社会主義運動が展開し、周辺においてはナショナリズムが噴出した。

共存共栄(13世紀)から中核による支配へ(16世紀以降)

13世紀の交易は、金融慣行など高度な商業システムにはアラビア語・ギリシャ語・ラテン語・北京語など多くの言語が用いられ、多様な民族や宗教をも包含する経済ネットワークであった。各地域の商人がそれぞれ自らの利益を確保し、他の商人には損害を与えず、いかなる勢力も覇権を求めない共存共栄型世界システムであった。

16世紀以降、ヨーロッパの国々が競争する姿を明らかにしたウォーラーステインの世界経済の分業モデル「近代世界システム」の中核国家の基本的イデオロギーは経済成長による富の拡大であり、大航海によって領域的な制限を取り払い世界支配へと向かった。そして、このヨーロッパを起源とする経済成長と経済支配の思想は、20世紀後半以降、日本、中国、韓国、そしてインドなどに広がり、アジアの経済発展の根幹ともなっている。

東アジアの経済発展：勤勉革命（17から19世紀）

アメリカの歴史学者ポメランツはヨーロッパの経済発展とアジアの経済発展の歴史を比較し、その経済発展の差異は18世紀後半以降に始まったという。18世紀央の時点で、日本の関西や中国の長江下流域とイングランドの地方を比較すると、両地域ともに商業化や手工業化（プロト工業化）と呼ばれる分業が人口成長を加速し、森林などのエネルギー資源の不足に直面するなど驚くほどの経済的類似がみられたという。

その後の150年間でイングランド地方が資源ネックから逃れ、成長に向かって「分岐」しえたのは、森林の伐採が進んだ中核都市ロンドンの周辺に大量の石炭が存在し、動力源として産業革命による蒸気機関への転換が極めて容易となり、そして労働者は家畜などを投入した農業部門の生産性向上による余剰から供給され、かつ工業生産品の重要な市場となるアメリカ大陸へのアクセスに恵まれ、そのアメリカ大陸からイングランドの人口増を支える十分な食料が輸入できるなど、多くの「幸運」にあったという。

ではヨーロッパが産業革命などの幸運によって成長するなか、日本、中国など東アジアの経済成長は如何にあったのか。速水は、日本の経済発展を勤勉革命が主導したという。速水は、17 ～ 19世紀、江戸期の「宗門改帳」から得られる農民世帯の人口動態と生活情報の変化から農民の小家族化の動向を読み取り、これを米の生産量の伸びと比較しつつ農業の生産革命の存在を指摘した。そしてこの生産革命の本質を、身を粉にして働く労働量の投入によって生産性を高める小家族経営が広く普及したものと論じ、イギリスの産業革命と比較し「勤勉革命」と呼んだ。

江戸幕藩体制の根幹であった石高制では、一度検地された土地は再び検地されることはなかった。年貢率は大きく変化せず、農民が努力し実収入石高を増やせばそれは「余剰」として農民の取り分となった。そこで農民は、現状の狭い農地のもと、家畜などの生産手段に投資しない小家族経営をとり、鍬や鋤で深耕し肥料を多投する労働力の投入によって、獲得した「余剰」を市場に出荷し利益を増やした。イギリス農業の生産性向上は逆であり、経営面積を拡大して大量の家畜や大型農機を導入するなど生産手段へ積極的に投資し、労働を節約する生産革命であった。

さらに速水は、家畜や設備の使用によって利益を生むヨーロッパの土地や経営規模と、その家畜を容易に確保しえない日本の狭い土地状況を比較し、日本では土地利用を高度化し、そこに労働量を投下する組み合わせが合理的であったという。江戸期には、家族経営を基本とする経営意識が高まり、勤労によって生活水準を向上させる思想が浸透した。そして農業部門で生じた余剰から醸造業や繊維産業などの農産加工業が発達し、それらは「在来産業」として明治以降に引き継がれていった。

杉原は速水の勤勉革命論を東アジアに広げ、資本を節約し労働を集約する生産法は土地が希少であった東アジアの一般的特徴であった論じた。東アジアの過剰ともされる人口のなかで、むしろ小規模経営を成立させた農民の経営能力、家族の協力、広範な副業への従事などアジア流の高度な主体性と対応能力を評価した。

中央ユーラシアの帝国：約3000年前から15世紀

中国やロシアなどユーラシア大陸の権威主義的大国の特徴を理解するうえで、地域世界の時代からの国家形成の歴史をみることが不可欠だろう。森安は、遊牧騎馬民族やシルクロードに着目し、地球上の大陸の中心、中央ユーラシアという視点に立ち、15世紀以前の歴史を見直し、その国家像を明らかにした。

15世紀以前のユーラシアの世界史は、農業生産力だけでなく、馬の軍事力・情報伝達能力とシルクロード商業による経済力を評価してこそ、はじめて理解可能になるという。ユーラシアは、アジア大陸とその西方に半島のように付随しているヨーロッパ大陸を合わせた概念であるが、このなかの中央ユーラシアは、中国東北部・大興安嶺の周辺以西の内外モンゴリアからカスピ海周辺までの内陸アジアと南ロシア（ウクライナ）から東ヨーロッパの中心部を加えた領域である。この地は、ユーラシア全体のなかでも最も雨量・水量の少ない砂漠地帯と、それに次ぐ乾燥地帯である草原からなり、乾燥地帯ではあるが大河を擁する四大農耕文明圏よりは北方に位置している。

森安は世界史について、時代区分の重要要素を軍事力・経済力・情報収集伝達能力としてとらえ、以下の区分を提唱する。

約1万1000年前より	農業革命（第一次農業革命、遅れて家畜革命）
約5500年前より	４大文明の登場　（第二次農業革命、車両革命）
約4000年前より	鉄器革命（遅れて第三次農業革命、馬車戦車の登場）
——陸の時代——	
約3000年前より	遊牧騎馬民族の登場
約1000年前（11世紀）より	中央ユーロシア型国家優勢の時代
——海の時代——	
約500年前（16世紀）より	火薬革命と海路によるグローバル化（大航海時代）
約200年前（18央世紀）より	産業革命と鉄道・蒸気船（外燃機関）の登場
約100年前（19世紀）より	第二次産業革命と航空機（内燃機関）の登場

（森安孝夫『シルクロードと唐帝国』講談社学術文庫、2016、p90～91、一部修正）

この区分によれば、15世紀まではユーラシアの遊牧騎馬民族による陸の時代であって、16世紀以降に海洋技術を強めた大航海によって西欧勢力による海の時代となった。陸の時代は中央ユーラシアからの「遊牧騎馬民族の登場」と「中央ユーラシア型国家優勢の時代」であり、海の時代は、「火薬革命、すなわち殺傷能力の高い重火器の登場と海路によるグローバル化」、そして「産業革命」以後の西欧型国家の優勢の時代となった。

遊牧騎馬民族の登場してからの2～3000年の間、最も強い軍事力と最も早い情報伝達手段は馬であり、優秀な馬を育て、馬に乗って弓を射る技術にたけた集団、すなわち騎馬遊牧民こそが地上最高の軍事集団たりえた。遊牧騎馬民族は、豊かな農耕・定住地帯への略奪・征服あるいはその住民との協調・融和・同化に成功と失敗を繰り返してきたが、10世紀ごろに至り、大人口の農耕民・都市民を擁する地域を「少数の人口で安定的に支配する組織的ノウハウ」を完成させた。そのノウハウとは軍事的支配制度、税制、人材登用制度、商業・情報ネットワーク、文字の導入、文書行政、都市建設などであり、それを支える最大の基盤は、遊牧民集団の軍事力とシルクロードの交易から得た富の蓄積であった。

そして、9～10世紀には、遊牧民が草原に本拠を置きながら、農耕地帯や都市を包含して支配するような中央ユーラシア型国家（いわゆる征服王朝）が成立した。この中央ユーラシア型国家が発展し、その完成体こそが13世紀のモンゴル帝国であり、その継承国家としてティムール帝国・オスマン帝国・ムガル帝国・ロシア帝国・大清帝国が展開した。

異民族が混在する現在のロシアや中国の専制的体質やイスラーム国家を理解するうえで、「少数の人口で安定的に支配する組織的ノウハウ」の存在を理解することは不可欠であり、現代における共産主義や宗教（イスラーム）は、組織的ノウハウの基礎をなす重要な理念・思想として位置付けられよう。

オスマン帝国の多民族共存：柔らかい専制（15から17世紀）

オスマン帝国は、13世紀末に成立したイスラーム・スンナ派のオスマン朝を母体とし、15世紀央ビザンチン帝国を滅ぼして大帝国へと発展、20世紀初頭まで小アジアからバルカン半島、中東から地中海域に君臨したトルコ系民族の征服王朝である。支配層はトルコ人であったが、その領内にはアラブ人、エジプト人、ギリシャ人、スラヴ人、ユダヤ人などを包含する多民族国家であった。その広大な領土と多くの民族を統治するため、君主であるスルタンがイスラームの最高指導者カリフの地位を兼ねる中央集権的統治制度を作り上げた。

オスマン帝国の政治的支配権はムスリムの側にあり、社会の基本を定める法をイスラームの聖法シャリーアにおいた。その上でムスリムと非ムスリムを問わない身分制度として、支配者身分としてのアスケリーと被支配者のレアーヤーに大別した。アスケリー身分は帝国の官職保有者などの支配層で免税などの特権をもち、レアーヤー身分は一般庶民として納税の義務を負った。

支配下の民族には、それぞれの宗教の信仰を認め、ギリシャ正教やユダヤ教、アルメニア教などの教徒には改宗を強制せず、納税を条件とし、それぞれの宗教的集団を統治の単位とする政策をとった（ミッレト）。さらに民事、刑事に相当する審理を行なうカーディー（裁判官）をおき、 コーランに処罰規定のある犯罪（ハッド）、ワクフ（寄進財産）の管理、婚姻、相続といった宗教と密接な問題を担当させ、異教徒間の争いを積極的に調停した。そしてムスリムの反乱を警察力によって鎮圧するなど社会の安定に力を注いだ。

さらに帝国発展のため、優れた人間を、民族や地域の差にこだわらず登用した。バルカンのキリスト教徒の有能な少年を勧誘して教育し「ムスリムになる」ことを条件に帝国官僚や軍人に抜擢してアスケリーの特権を与えた（デヴシルメ制）。また国際商業に優れるユダヤ教徒を勧誘する移住優遇策をとり、アルメニア人やギリシャ人を得意の交易・金融・為替などの分野で重用するなど、帝国経済の活性化を推進した。

こうした宗教的にも政治的にも一定の自治を認めたオスマン帝国の柔軟な多民族統治について、鈴木は「柔らかい専制」と呼んでいる。

しかし17世紀に入ると民族間の対立が表面化し共存の基盤の弱体化が始まった。ムスリム支配層の世襲化がすすみ、財政難による圧政は社会の不満を生み、重税は許容範囲を超えた。力を増す西欧との繋がりを強めた一部キリスト教徒は経済力を高め宗教的自己主張を強めた。そして17世紀末から18世紀初頭のムスリム社会ではレアーヤーがキリスト教徒の納税者を意味する言葉となるなど、ムスリムとキリスト教徒の宗教的対立が明らかになった。

オスマン社会はシャリーアの厳格な運用によって寛容性を失い、民族共存の基盤が揺らぐなか、18世紀以降、ヨーロッパの侵攻や諸民族の自立の動きによって領土が縮小し帝国の衰退がすすんだ。そして19世紀の近代化改革につまずき、20世紀初頭、第一次世界大戦でドイツと結んで敗北し滅亡した。

地球主義の世界史構想：価値の共有

今、我々は地球というコミュニティーの一員であることを強く意識し、地球への帰属意識を高めることが求められている。

羽田は、そのためには「地球社会」の歴史に共有が必要だと主張する。それは日本やアメリカ、中国といった別々の国の歴史を集めて一つにした世界史ではなく、むろん、ヨーロッパや東アジアなどの地域世界の歴史を一つにしたものではない。こうした世界史は国や地域への帰属意識を高めるものであっても、地球市民意識の涵養には無力だからであり、地球社会の歴史は「世界をひとつ」と捉え、世界中の様々な人々への配慮を怠らず、彼らの過去を描くものでなければならないという。その上で、以下のような「地球主義」を掲げた新しい世界史を提示する。

新しい世界史とは、地球主義の考え方に基づく地球市民のための世界史である。地球主義とは私たちの生活の舞台である地球を大切にし、現在地球上で生じている政治、経済、社会、環境など様々な問題を地球市民の立場から解決してゆこうとする態度である。……新しい世界史は……この世界認識をはっきりと意識できる内容を備えているべきだ。……世界中の人々が、これが自分たちの過去だと思える世界史であることが大事である。自と他の区別を強調せず、どこかの地域や国だけが中心となるのではなく、人間が地球上で共に生きていることができる世界史、世界中の人々がつながりあって生きてきたことが分かる世界史が理想である。

（羽田正『新しい世界史へー地球市民のための構想』岩波新書、2011、p92, 93）

そして、世界史の目指すべき具体的な方向として、国家間の政治・経済や社会の根底をなす法や人権などの「価値」の共有が重要であるとし、喫緊に共有すべき価値として、五つの価値をとりあげる。

1）法の支配（いかなる権力も広義の法の下にある）
2）人間の尊厳（人間を大切にする）
3）民主主義の諸制度
4）国家間暴力の否定（平和の追求）
5）勤労と自由市場の尊重（正当な報酬と自由な交換）

これらの価値は現行の世界史において、しばしば「ヨーロッパ」がこれらの諸価値のすべてを生み出したとされ、「非ヨーロッパ」との区別が強調されている。しかし、世界各地、特に日本や中国の過去を予見なしに振り返ってみると、言葉こそ異なるが、これらの価値とほぼ同様な概念が論じられ、その実現が図られていたのであり、新しい世界史では、積極的にその実例を取り上げ、過去から現在に至るまで人間がどのようにこれらの価値を追求してきたかを明らかにしたいという。

おわりに

大学の理科系分野を志望する高校生は、数学、物理・化学・生物などの入試科目の学習に専念し、当たり前のように世界史や日本史を敬遠する。そして大学入学後の教養科目として歴史を受講したとしても、その多くは「担当教授の専門領域」の講義にとどまり、大多数の理科系の大学生は歴史そのものを学ばぬまま社会人となっていく。しかし、理科系の諸君は読解力や論理的思考などの基礎学力を身につけているのであり、歴史の学びは、大学生はもちろん社会人となってからでも遅くはなかろう。本書はこうした立場から、今歴史の学びが不可欠となっている理科系の大学生や社会人を対象に、元理科系研究者がまとめた『理科系の世界史・日本史』である。

現代の世界、地球上で人、もの、カネ、そして情報が自由に流通できる地球世界、それは19世紀末に成立し、21世紀初頭の現在まで、わずか150年を経たに過ぎない。この間、二つの大戦や冷戦に多くの時間が費やされ、歴史の叙述においても、欧米や日本では実証重視の近代歴史学を基本としつつも、中国では政治を、またイスラーム圏では宗教を前面に出すなど、これまでと変わらず、さまざまに叙述されている。そして、世界が地球温暖化によって人類の生存が脅かされ、またコロナ・パンデミックやロシアウクライナ侵攻などで揺れ動くなか、国際協調の場であるべき国連は、各国が栄光の歴史を掲げて自己主張する「多極化する世界」の場となり、対立や分断が止む気配はない。

今、歴史においても新たな学びが求められているのは間違いない。本書によって、自らの歴史と各国のえがく歴史の違い、多極化世界に至る歴史の構図、さらに科学技術が社会に与えた正負両面の影響などについて確認して頂ければ幸いである。そして平和や戦いの時代に着目し、各地各国間のもつ政治、経済、社会などの共通性や異質性について理解を深め、世界の人々との交流を推進し、人類共存の柱である法の遵守や人権などの価値観の共有に努めて欲しい。
執筆にあたっては、書籍やネット上にある多くの歴史家のよる優れた研究成果を直接または間接に引用させて頂いた。この作業には、これまでの仕事、電気通信分野の研究開発やシステムエンジニアリング（SE)、すなわち、システムやサービスの要求条件を明らかにし、必要機能を網羅的に洗い出し、最悪な条件を考慮し、優先順位をつけ、求められる機能・性能や信頼性を満たす構成を定める、この経験が役に立った。
多くの不備・不足があり見直しが必要と思う。さまざまな歴史書が出版され、ネット上においても世界の大学や諸機関による優れた研究成果が幅広く掲載されている。本書を骨格とし、さらに書籍やネットから情報を入手しながら歴史の学びを深めて頂ければと思う。

参考文献

第Ⅰ章

梅棹忠雄・江上波夫監修『世界歴史大辞典』教育出版センター、1995
田中英道『世界文化遺産から読み解く世界史』扶桑社、2013
神山史郎『史学概論』慶応義塾大学出版会、1974
遅塚『史学概論』東京大学出版会、2010
野家啓一『科学哲学への招待』ちくま学芸文庫、2015
小田中直樹『歴史学って何だ』PHP 新書、2004
E．H．カー（清水訳）『歴史とは何か』岩波新書、1962
榎本庸男“「歴史から学ぶ」ということ：ヘーゲルの歴史哲学を中心として”人文研究、66 巻 1 号、2016
福井憲彦『歴史学入門』岩波書店、2019
大阪大学歴史教育研究会『市民のための世界史』大阪大学出版会、2014
五味文彦、本郷和人『中世日本の歴史』、放送大学教育振興会、2003
東京大学教養学部歴史学部会『史料学入門』岩波書店、2006
川田順三『無文字社会の歴史』岩波現代文庫、2001
鈴木公雄『考古学入門』東京大学出版会、1988
安蒜政男『考古学キーワード』有斐閣、2002
祖父江孝雄『文化人類学入門』中公新書、1979
宮本常一『忘れられた日本人』岩波文庫、1984
佐藤智恵『ハーバード日本史教室』中公新書クラレ、2017

第Ⅱ・Ⅲ章

上原専禄『日本国民の世界史』岩波書店、1960
西村貞二『教養としての世界史』講談社現代新書、1966
木村靖二『教養としての世界史の読み方』PHP エディターズ・グループ、2017
中尾佐助『栽培植物と農耕の起源』岩波新書、1966
桃木至朗ほか『「世界史」の世界史』ミネルヴァ書房、2016
マクニール（増田・佐々木訳）『世界史（上・下）』中公文庫、2008
Oxford『DICTINARY OF World History』OXFORD UNIVERSITY PRESS、2006
西島・護・木村・猿谷編集『世界歴史の基礎知識（1）（2）』有斐閣ブックス、昭和 52 年
「世界の歴史」編集委員会＝編『もういちど読む山川世界史』山川出版社、2009
木下・木村・吉田編『詳説世界史研究』山川出版社、2008
木村・岸本・小松監修『詳説世界史図録』山川出版社、2014
亀井・三上・林・堀米『世界史年表・地図』吉川弘文館、1995
五味・鳥海＝編『もういちど読む山川日本史』山川出版社、2009

五味・高埜・鳥海編『詳説日本史研究』山川出版社、1998
詳説日本史図録編集委員会編『詳説日本史図録』山川出版社、2013
児玉幸多『日本史年表・地図』吉川弘文館、1995
アンガス・マディソン（金森訳）『経済統計でみる世界経済 2000 年史』柏書房、2004
杉山信也『グローバル経済史入門』岩波新書、2014
マクニール（高橋訳）『戦争の世界史（上・下)』中公文庫、2014
織田武雄『地図の歴史』講談社学術文庫、2018
金田彰浩・上杉和央『日本地図史』吉川弘文館、2012
高谷好一『世界単位論』京都大学学術出版会、2010
高谷好一『世界単位日本：列島の文明生態史』京都大学学術出版会、2017
石井孝『日本開国史』吉川弘文館、2010
平川新『戦国日本と大航海時代』中公新書、2018
木畑洋一『二十世紀の歴史』岩波新書、2014
入江昭『新・日本の外交』中公新書、1991

第Ⅳ章

神山史郎『史学概論』慶応義塾大学出版会、1974
木村靖二ほか『ドイツ史研究入門』山川出版社、2014
林佳世子ほか『記録と表象　史料が語るイスラーム世界』東京大学出版会、2005
タミム・アンサーリー（小沢訳）『イスラームからみた「世界史」』紀伊国屋書店、2011
八木『中国古典文学二十講』白帝社、2003
佐藤慎一『近代中国の思索者たち』大修館書店、1998
田中英道『新しい日本史観の確立』文芸館、平成 18 年
菊池一隆『教科書問題の歴史と共通歴史教科書』愛知学院大学文学部紀要第 41 号、2009
岡本隆司『週刊東洋経済 2019 年 2 月 2 日号』p 73
ハンチントン（鈴木訳）『文明の衝突』集英社、1998

（宗教）

阿部美哉ほか『世界の宗教と経典・総解説』自由国民社、1996
山川出版社編集部『新版世界各国史 28　世界各国便覧』山川出版社、2009
山本英史『東洋史概説Ⅱ―中国史―』慶応義塾大学出版会、2009
片倉もとこ『イスラームの世界観』岩波現代文庫、2008
三浦徹『イスラーム世界の歴史的展開』放送大学教育振興会、2011
水島司『グローバルヒストリー入門』山川出版社、2010
安田喜憲『文明の環境史観＜中公叢書＞』中央公論社、2004
J．ドナルド・ヒューズ（村上・中村訳）『環境史入門』岩波書店、2018
マクニール（佐々木訳）『疫病と世界史』中央公論社、2007
Richards, John F., The Unending Frontier: An Environmental His-

tory of the Early Modern World, Berkeley, Los Angeles, London, University of California Press, 2003
(日本語訳：水島『グローバルヒストリー入門』 p 52, 53 から引用)
Williams, Michael, Deforesting the Earth: From Prehistory Global Crisis, Chicago and London, the University of Chicago Press,2006
(日本語訳：水島『グローバルヒストリー入門』 p 51, 52 から引用)
アブールゴト（佐藤ほか訳）『ヨーロッパ覇権以前―もうひとつの世界システム（上・下)』岩波現代文庫、2022
川北稔『世界ステム論講義：ヨーロッパと近代世界』ちくま学芸文庫、2016
ポメランツ（川北監訳）『大分岐―中国、ヨーロッパと近代経済の形成』名古屋大学出版会、2015
速水融『歴史人口学』、文春新書、平成 13 年
杉原薫『東アジアの奇跡』、名古屋大学出版会、2020
森安孝夫『シルクロードと唐帝国』講談社学術文庫、2016
鈴木薫『オスマン帝国―イスラームの「柔らかい専制」』講談社現代新書、2012

(下村卒業論文)
羽田正『新しい世界史へ―地球市民のための構想』岩波新書、2011

【著者紹介】

下村史雄（しもむら・ふみお）

1948　静岡県生まれ。
1970　東北大・工・電気卒、
　　　日本電信電話公社（現ＮＴＴ）入社
　　　主にデジタルシステムの研究開発・ＳＥに従事
2008　定年退職。歴史の勉強を始める。
2014　慶応大学・文・史学卒（通信教育課程）
　　　卒業論文
　　　『前近代オスマン帝国における多宗教の共存と対立』

理科系の世界史・日本史

2023年9月30日　第1刷発行

著　者　下村史雄

発行者　濵　正史

発行所　株式会社元就（げんしゅう）出版社

〒171-0022 東京都豊島区南池袋4-20-9
サンロードビル2F-B
電話 03-3986-7736　FAX 03-3987-2580
振替　00120-3-31078

装　幀　（株）クリエイティブ・コンセプト

印刷所　中央精版印刷株式会社

※乱丁本・落丁本はお取り替えいたします。

ISBN978-4-86106-277-3　C0020

勝って兜の緒を締めよ！

岡田幸夫・著

日露戦争とその後の日本

世界の大国ロシアを破って富国強兵の国家目標を達成できたかに見えた。だがそれは四〇年後に、長い戦争の果てに惨憺たる敗戦へ至る歴史の転換点でもあったのだ。東郷平八郎大将不在の一枚の写真への疑問から始まった歴史探訪。

■本体一五〇〇円＋税

日本開国の道標

岡田幸夫・著

開国へ先鞭をつけた渡辺崋山と高野長英

キリシタン禁止と一体となった鎖国制度は二〇〇年以上も続き、日本全体は厚い壁で閉ざされた。その壁はペリー提督によってこじ開けられたが、幕末日本の英傑や俊英たちは既に時代の風を視ていた。崋山と長英の足跡から近代日本の萌芽を追った。

■本体一六〇〇円＋税

特攻兵が語るオロカな戦争

深沢敬次郎・著

生き延びた特攻兵が書き下ろした戦争の実相

戦争は国も、人も狂わせる人類史上最悪の凶行。戦争では勝者も敗者も、人的にも物的にも大きな損害を被る。再び戦争の悲劇を繰り返さないために、生き残った者に戦争を語り継ぐ義務があるように思えてならない。

■本体一六〇〇円＋税

法律から読み解いた武士道と、憲法

嘉村 孝・著

真の武士道を現代に生かすには

武士道はひとつではない。時代背景と国際関係に応じて変化した武士道それぞれの「論理」を知らなければ「日本の再生」はない。幾多の先学が述べるとおり、歴史は物語でなく論理である。

■本体一八〇〇円＋税